Chapter Quizzes
with Answer Key

Glencoe French 1

Bienvenue

Chapter Quizzes
with Answer Key

Glencoe
McGraw-Hill

New York, New York   Columbus, Ohio   Mission Hills, California   Peoria, Illinois

Glencoe/McGraw-Hill

A Division of The **McGraw·Hill** *Companies*

Send all inquiries to:
GLENCOE/McGraw-Hill
15319 Chatsworth Street
Mission Hills, CA 91345-2041

ISBN 0-02-636699-1

Printed in the United States of America.

1 2 3 4 5 6 7 8 9   009   03 02 01 00 99 98 97

CHAPITRE } 1 } QUIZ 1

VOCABULAIRE

Mots 1

A Complete the sentence below with any four French words that would make sense according to the illustration. (4 pts.)

Paul est _____ , _____ ,

_____ et _____ .

B Use the words below to complete the sentences about Christine. (6 pts.)

amusante   aussi   Comment   de   D'où   française

1. _____ est Christine? Elle est _____ Lyon.

Elle est _____ .

2. _____ est Christine? Elle est intelligente et

_____ , et elle est confiante _____ .

CHAPITRE

} 1 } QUIZ 2

VOCABULAIRE

Mots 2

A For each adjective below, give the opposite. (5 pts.)

1. Claude est confiant? Non, il est _____ .

2. Chantal est désagréable? Non, elle est _____ .

3. Claude est grand? Non, il est _____ .

4. Chantal est antipathique? Non, elle est _____ .

5. Claude est brun? Non, il est _____ .

B Complete each sentence below with one of the following words. (5 pts.)

ami   **amie**   **frère**   **lycée**   **populaire**

1. Suzanne Delarue est élève dans un _____ français.

2. Marc Legrand est le _____ de Nicole Legrand.

3. Marie-Claire Vigny est une _____ de Paul Bézier et de Jeanne Lelouche.

4. Daniel Godard est l' _____ de tout le monde. Il est très

_____ .

CHAPITRE

} 1 } QUIZ 3

STRUCTURE

Les articles indéfinis et définis au singulier

A Complete the following statements with the correct form of the indefinite article. (5 pts.)

1. C'est _____ école française.

2. Voici _____ garçon et _____ fille.

3. C'est _____ petite chaise.

4. C'est _____ grand sac à dos.

B Complete the sentences below with the correct form of the definite article. (5 pts.)

1. Où est _____ devoir de français?

2. Qui est _____ ami de Jacques?

3. Comment est _____ sœur de Gilles?

4. _____ livre est comique, n'est-ce pas?

5. D'où est _____ frère de Mme Hubert?

CHAPITRE

} 1 } QUIZ 4

STRUCTURE

L'accord des adjectifs au singulier

A Cindy Smith from New York is the opposite of her friend Pierre Lefraque from Paris. Fill in the chart accordingly. (7 pts.)

	CINDY	**PIERRE**
1.	américaine	
2.		patient
3.		blond
4.	petite	
5.	désagréable	
6.		timide
7.		sympathique

B Complete each sentence with the correct form of the appropriate adjective below. (3 pts.)

amusant　　　**blond**　　　**sincère**

1. Philippe est très amusant et Claudine est _____ aussi.

2. Richard est un ami sympathique et _____ .

3. La fille là-bas est petite et _____ .

CHAPITRE

} 1 } QUIZ 5

STRUCTURE

Le verbe être *au singulier*

A Complete the paragraph below with the correct forms of the verb *être*. (8 pts.)

Voici une photo. Sur la photo, je _____ devant l'école. L'école _____ à
1   2

Paris. Elle _____ très grande, n'est-ce pas? Un ami, Didier, _____ derrière moi.
3   4

Il _____ assez timide. Didier _____ très intelligent aussi. Et toi?
5   6

Tu _____ comment? Timide? confiant(e)? amusant(e)? Moi, je _____ très
7   8

énergique et assez impatient.

B For each person or thing below, use the correct form of the verb *être* and one of the following
adjectives to make an appropriate sentence. (12 pts.)

amusant   **comique**   **content**   **grand**   **intéressant**   **timide**

1. L'école _____.

2. Nicole _____.

3. Mme Legrand _____.

4. Je _____.

5. Tu _____.

6. Le livre _____.

CHAPITRE

} 1 } QUIZ 6

STRUCTURE

La négation

A Answer each question below with a complete negative sentence. (12 pts.)

1. Papa est en France, n'est-ce pas?

Non, _____ .

2. Tu es célèbre, n'est-ce pas?

Non, _____ .

3. M. Nogaret est américain, n'est-ce pas?

Non, _____ .

4. L'école est française, n'est-ce pas?

Non, _____ .

5. Je suis grande, n'est-ce pas?

Non, _____ .

6. Le devoir est amusant, n'est-ce pas?

Non, _____ .

B Write a complete negative sentence to describe each person in the following illustrations. (8 pts.)

1.   Sylvie   **2.**   **3.**   **4.**

1. _____

2. _____

3. _____

4. _____

CHAPITRE

} 2 } QUIZ 1

VOCABULAIRE

Mots 1

A Complete the sentences below with appropriate French words, based on the illustration. (4 pts.)

1. Le prof est un _____ .

2. Le _____ est amusant.

3. Les élèves sont dans la _____ 19.

4. C'est le _____ de français.

B Choose the appropriate word to complete each sentence below. (6 pts.)

copine   d'accord   femme   mais   même   vraiment

1. M. Courbet est _____ sympa!

2. L'anglais est facile, _____ le français est difficile.

3. Le frère de Charles est intelligent; tu es _____ ?

4. La sœur de Caroline est une _____ de Jacques.

5. La _____ là-bas est Mme Dupin.

6. Alain et Sylvie sont dans la _____ classe.

CHAPITRE

} 2 } QUIZ 2

VOCABULAIRE

Mots 2

A List three courses for each of the following categories. (12 pts.)

les sciences

1. _____

2. _____

3. _____

les maths

4. _____

5. _____

6. _____

les langues

7. _____

8. _____

9. _____

Now list three courses from other categories:

10. _____

11. _____

12. _____

B Underline the word in each group that does not belong with the others. (6 pts.)

1. aujourd'hui   libre   demain   maintenant

2. week-end   jour   semaine   sympa

3. dimanche   homme   femme   garçon

4. super   extra   moche   chouette

5. mardi   samedi   matière   dimanche

6. classe   même   cours   matière

CHAPITRE

} 2 } QUIZ 3

STRUCTURE

Le pluriel: Articles et noms

A Complete each sentence below with the correct definite article. (7 pts.)

1. _____ homme est grand.

2. Voici _____ livres!

3. Où est _____ femme?

4. _____ filles sont dans le cours de littérature.

5. Voici _____ ami de Sarah!

6. Qui est _____ garçon là-bas?

7. _____ élèves sont sympathiques.

B For each singular noun write the plural with its definite article, and for each plural noun write the singular with its definite article. (8 pts.)

	SINGULIER	**PLURIEL**
1.	le cahier	
2.	la chaise	
3.		les écoles
4.	l'agenda	
5.		les stylos
6.	le cours	
7.		les amies
8.	la calculatrice	

CHAPITRE

} 2 } QUIZ 4

STRUCTURE

Le verbe être *au pluriel*

A Complete each sentence below with the correct form of the verb *être*. (10 pts.)

1. Les élèves _____ dans la salle de classe.

2. Nous _____ au cours de français.

3. Philippe et Marie _____ au tableau.

4. Je _____ derrière Claudine.

5. Les livres _____ sur la table.

6. L'ordinateur _____ sur le bureau.

7. Mais où _____ la prof?

8. Elle n' _____ pas dans la classe.

9. Ah! Philippe et Marie, vous _____ les profs maintenant.

10. Tu _____ d'accord, Philippe?

B Write the subject pronoun you would use to refer to the following groups. (5 pts.)

1. Claire, Hélène et Anne _____

2. le stylo et le crayon _____

3. David, Robert et Marc _____

4. Catherine et Philippe _____

5. Papa, Maman et moi _____

CHAPITRE

} 2 } QUIZ 5

STRUCTURE

Vous *et* tu

▪ Ask the following people if they are busy. (5 pts.)

1. une copine

_____

2. la prof

_____

3. Paul et Marianne

_____

4. Papa

_____

5. une petite fille

_____

} 2 } QUIZ 6
STRUCTURE

L'accord des adjectifs au pluriel

A Write sentences describing the people in the illustrations, using the correct forms of the adjectives below. (10 pts.)

| 1. | 2. | 3. |
| 4. | 5. | |

amusant   content   énergique   intelligent   timide

1. _____

2. _____

3. _____

4. _____

5. _____

B Write the opposite of each adjective in italics. Be sure to use the correct form of the adjective. (10 pts.)

1. La fille est *française*, mais le garçon est _____ .

2. Vous êtes *blonds*, mais nous sommes _____ .

3. L'élève est *libre*, mais la prof est _____ .

4. La biologie est *difficile*, mais le latin est _____ .

5. Colette est *confiante*, mais Jean-Luc est _____ .

                           CHAPTER QUIZZES

CHAPITRE

} 2 } QUIZ 7

STRUCTURE

L'heure

A Answer the questions based on the schedule below. Write complete sentences. (The times must be written out in French.) (10 pts.)

	lundi	**mardi**	**mercredi**	**jeudi**	**vendredi**	**samedi**
français	7h45			8h30		8h30
biologie	8h30	9h15			10h	
littérature	9h15			7h45		10h
géométrie		7h45		10h		9h15
musique		10h45		9h15		

1. À quelle heure est le cours de français le jeudi?

_____

2. À quelle heure est le cours de géométrie le samedi?

_____

3. À quelle heure est le cours de biologie le vendredi?

_____

4. À quelle heure est le cours de musique le mardi?

_____

5. À quelle heure est le cours de littérature le jeudi?

_____

B Write sentences telling what time it is in French according to each of the following clocks. Indicate whether it's morning, afternoon, or evening. (10 pts.)

1. _____

4.

2. _____

5.   _____

3. _____

CHAPITRE

} 3 } QUIZ 1

VOCABULAIRE

Mots 1

A Number the actions below from 1 to 6 in the order that they would logically occur. (6 pts.)

1. ___ J'entre dans la salle de classe.

2. ___ Je quitte la maison.

3. ___ Je rentre à la maison.

4. ___ Je quitte l'école.

5. ___ Je passe un examen.

6. ___ J'arrive à l'école.

B Complete each sentence below with one of the following words. (9 pts.)

école	écoute	étudie	examen	maison
parle	questions	quitte	rue	

1. Il habite _____ Victor Hugo.

2. Il quitte la _____ à sept heures du matin.

3. Il arrive à l' _____ à sept heures et demie.

4. Il _____ la prof de français.

5. Il _____ français en classe.

6. Il passe un _____ au cours de biologie.

7. Il pose beaucoup de _____ .

8. Il _____ l'école à quatre heures de l'après-midi.

9. Il _____ le soir.

Nom_____ Date _____

VOCABULAIRE

Mots 2

 A For each of the illustrations below, choose one of the following infinitives to describe the action. (6 pts.)

chanter danser donner écouter parler rigoler

1. _____

4. _____

2. _____

5. _____

3. _____

6. _____

B Indicate where each activity takes place by putting a check under the appropriate heading. (9 pts.)

	à la maison	à l'école	au magasin
1. écouter le prof			
2. regarder la télé le soir			
3. parler au téléphone			
4. inviter des copains			
5. étudier l'histoire			
6. travailler à mi-temps			
7. passer un examen			
8. poser la question: «C'est combien?»			
9. regarder le tableau noir			

Copyright © by Glencoe/McGraw-Hill

CHAPITRE

} 3 } QUIZ 3

STRUCTURE

Le pronom on

A For each sentence below, choose a logical completion from the following list. Follow the model. (5 pts.)

à huit heures	**à la fête**	**aimable**
au téléphone	**la télé**	**à mi-temps**

On arrive *à huit heures*.

1. On parle _____.

2. On travaille _____.

3. On regarde _____.

4. On danse _____.

5. On est _____.

B Write the sentences from Part A (above) in the negative. (5 pts.)

1. _____

2. _____

3. _____

4. _____

5. _____

CHAPITRE

} 3 } QUIZ 4

STRUCTURE

Des verbes réguliers en -er au présent

■ Complete each sentence with the correct form of the verb in parentheses. (10 pts.)

1. Tu _____ avec le prof d'anglais? (parler)

2. Vous _____ mes copains? (aimer)

3. Mme Bézier _____ des examens difficiles. (donner)

4. Mes amis et moi, nous ne _____ pas en classe. (rigoler)

5. J' _____ avec Paul et Serge. (étudier)

6. Les filles _____ le prof de maths. (adorer)

7. Jean et Lucie _____ après les cours. (travailler)

8. On _____ les devoirs de biologie. (détester)

9. La prof d'anglais _____ après tout le monde. (arriver)

10. J' _____ Paul et Serge à la maison. (inviter)

CHAPITRE
} 3 } QUIZ 5

STRUCTURE

L'article indéfini au pluriel; La négation des articles indéfinis

A Write the plural of the italicized words. (5 pts.)

1. Vous invitez *un copain*? Non, nous invitons _____ .

2. Vous regardez *une vidéo*? Non, nous regardons _____ .

3. Vous donnez *une fête*? Non, nous donnons _____ .

4. Vous écoutez *une cassette*? Non, nous écoutons _____ .

5. Vous posez *une question*? Non, nous posons _____ .

B Complete each sentence with the negative of the italicized words. (5 pts.)

1. Le soir Noëlle *regarde des magazines*, mais elle _____

   _____ en classe.

2. Le vendredi soir Philippe *invite des amis*, mais il _____

   _____ maintenant.

3. Normalement Mme Lefèvre *donne des devoirs*, mais elle _____

   _____ aujourd'hui.

4. À la maison vous *écoutez des disques*, mais vous _____

   _____ en classe.

5. Au cours de français je *passe des examens*, mais je _____

   _____ à la maison.

CHAPITRE
} 3 } QUIZ 6

STRUCTURE

Le verbe + infinitif

■ Tell what the following people like to do ☺, and don't like to do ☹, by writing one affirmative and one negative sentence for each person. (10 pts.)

1. Nicole: ☺ **chanter**

☹ **danser**

Nicole _____.

Elle _____.

2. Les copains: ☺ **rigoler**

☹ **étudier**

Les copains _____.

Ils _____.

3. Je: ☺ **gagner de l'argent**

☹ **travailler**

J' _____.

Je _____.

4. Tu: ☺ **étudier**

☹ **passer des examens**

Tu _____.

Tu _____.

5. Nous: ☺ **parler au téléphone**

☹ **parler en classe**

Nous _____.

Nous _____.

CHAPITRE

} 4 } QUIZ 1

VOCABULAIRE

Mots 1

A Match each relative in the left-hand column with the appropriate description in the right-hand column. (5 pts.)

1. ___ la tante   **a.** la mère de la mère

2. ___ le cousin   **b.** le frère de la mère

3. ___ la grand-mère   **c.** la sœur de la mère

4. ___ le neveu   **d.** le fils de la tante

5. ___ l'oncle   **e.** le fils de la sœur

B Supply the missing words. (10 pts.)

1. C'est l'anniversaire de Maman aujourd'hui. Elle a trente-huit _____ .

2. La grande fête nationale américaine, c'est le quatre _____ .

3. Le _____ de novembre a trente jours.

4. Quelle est la _____ aujourd'hui? C'est le premier avril.

5. Le premier mois de l'année, c'est _____ .

CHAPITRE

} 4 } QUIZ 2

VOCABULAIRE

Mots 2

A Identify each of the following areas. (8 pts.)

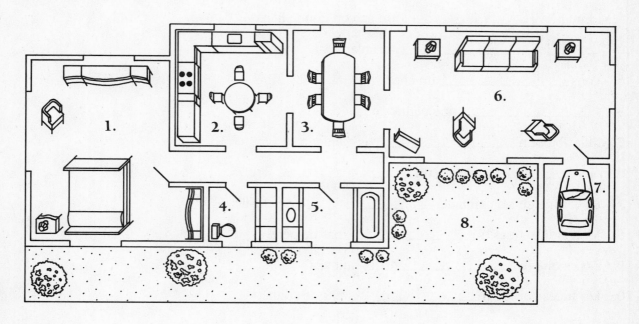

1. _____   **5.** _____

2. _____   **6.** _____

3. _____   **7.** _____

4. _____   **8.** _____

B Complete the paragraph below using the words from the following list. (7 pts.)

appartement   cour   entrée   étage   immeuble   métro   rez-de-chaussée

Mon ami Pierre habite un _____ dans un grand
                                                    1

_____ à Paris, pas loin d'une station de _____ .
              2   3

Il habite au troisième _____ , près de ma tante Émilie.
                                          4

Il y a une grande _____ au _____ , et
                                      5   6

derrière, il y a une _____ .
                                    7

CHAPITRE

} 4 } QUIZ 3

STRUCTURE

Le verbe avoir *au présent*

Complete the sentences with the correct form of *avoir*. (10 pts.)

1. Mme Brévil _____ un garçon et une fille.

2. Les Duclos _____ six enfants.

3. Vous _____ un chat?

4. J' _____ une petite sœur.

5. Mlle Toulot n' _____ pas d'enfants.

6. Nous _____ un chat.

7. La voisine de M. Grimaud _____ un petit-fils.

8. Mon ami Jacques n' _____ pas de père.

9. Est-ce que tu _____ dix-huit ans?

10. Les frères Fornier n' _____ pas de sœur.

CHAPITRE

} 4 } QUIZ 4

STRUCTURE

Les adjectifs possessifs

■ Indicate that the objects in each sentence belong to the subject. Follow the model. (10 pts.)

J'ai _mon_ stylo.

1. J'invite _____ amis à la fête.

2. Marie-Hélène quitte _____ maison à 8h du matin.

3. Tu aimes _____ cousine, n'est-ce pas?

4. M. Clouseau regarde _____ fils dans le jardin.

5. Tu écoutes _____ prof?

6. Je regarde _____ cahiers.

7. Jean-Paul utilise _____ calculatrice.

8. J'écoute _____ walkman.

9. Tu as _____ crayons?

10. Marie-France aime _____ école?

CHAPITRE

} 4 } QUIZ 5

STRUCTURE

Adjectifs qui précèdent le nom

A Answer the questions as indicated. Follow the model. (5 pts.)

Ta maison est vieille?
Oui, c'est une _vieille_ maison.

1. Ton appartement est grand?

   Oui, c'est un _____ .

2. Ta chambre est petite?

   Oui, c'est une _____ .

3. Et la cuisine est grande?

   Oui, c'est une _____ .

4. Ton chien est jeune?

   Oui, c'est un _____ .

5. Et tes voitures sont nouvelles?

   Oui, ce sont de _____ .

B Complete each sentence with an appropriate adjective. (5 pts.)

1. Charles est vieux et sa sœur est _____ aussi.

2. Robert est petit, mais ses sœurs sont _____ .

3. Ils habitent une belle maison dans un _____ quartier.

4. La mère de Charles est jeune, mais son père est _____ .

5. Son père n'est pas moche; c'est un _____ homme.

CHAPITRE

} 5 } QUIZ 1

VOCABULAIRE

Mots 1

A Give the French name (with the correct indefinite article: *un*, *une*, or *des*) for each of the foods pictured below. (14 pts.)

1. _____

2. _____

3. _____

4. _____

5. _____

6. _____

7. _____

B Complete each sentence below with the appropriate word from the following list. (6 pts.)

café   carte   commande   soif   terrasse   trouve

Benoît va au _____ . Il cherche ses copains. Il _____
                                        1   2

Marc et André à une table à la _____ . La serveuse arrive. Elle donne
                                              3

une _____ aux garçons. Marc _____ une crêpe au chocolat.
                          4   5

André et Benoît ont très _____ . Ils commandent un Orangina et un coca.
                                      6

CHAPITRE

} 5 } QUIZ 2

VOCABULAIRE

Mots 2

A Complete the following sentences according to the illustration. (6 pts.)

1. Le thé est dans une _____ .

2. Le client va manger l'omelette avec une _____ .

3. Le coca est dans un _____ .

4. Le couteau est à _____ de l'assiette.

5. La _____ arrive avec une cuillère pour la soupe.

6. Le client est tout _____ à la table. Il ne dîne pas avec ses copains ce soir.

B Write out the following telephone numbers in French. (4 pts.)

1. le café «Chez Maurice»: 58.97.32.41

_____

2. le restaurant «Goncourt»: 61.80.76.11

_____

CHAPTER QUIZZES

CHAPITRE

} 5 } QUIZ 3

STRUCTURE

Le verbe aller *au présent*

A Complete the sentences below with the correct form of *aller*. (8 pts.)

1. Comment _____ -vous à l'école?

2. J'y _____ à pied.

3. Nous y _____ en métro.

4. Paulette y _____ en voiture.

5. Le prof y _____ en voiture aussi.

6. Tu y _____ en bus, n'est-ce pas?

7. Jeannette et Laure y _____ à pied.

8. Ma petite sœur? Elle ne _____ pas à l'école.

B Answer the questions in complete French sentences. (12 pts.)

1. Comment vas-tu aujourd'hui?

   _____

2. Où est-ce que tu vas cet après-midi?

   _____

3. Quand allez-vous au restaurant, ta famille et toi?

   _____

4. Avec qui est-ce que ton copain (ou ta copine) va à l'école?

   _____

CHAPITRE

} 5 } QUIZ 4

STRUCTURE

Les contractions avec à et de

A Complete each of the following sentences with *à* and the words in parentheses. (5 pts.)

1. Marie est _____ . (le jardin)

2. Après les cours nous allons _____ . (le café)

3. Vous aimez aller _____ ? (les magasins)

4. Les élèves arrivent _____ . (l'école)

5. Daniel et Julie sont _____ . (la fête)

B Complete the following sentences with *de* and the words in parentheses. (5 pts.)

1. Vous écoutez l'explication _____ ? (le prof)

2. Il va à la fete _____ . (Marc)

3. Voici l'appartement _____ . (les copains)

4. C'est le stylo _____ . (l'élève)

5. Jean a le sac à dos _____ . (la fille)

C Complete the paragraph below with the correct form of *à* or *de*. (5 pts.)

Serge va _____ restaurant avec sa sœur Colette. C'est l'anniversaire _____ Colette. Ils
 1 2

y vont _____ pied. Le professeur, M. Hubert, est devant sa maison près _____ restaurant. Il
 3 4

parle _____ élèves.
 5

CHAPITRE

} 5 } QUIZ 5

STRUCTURE

Le futur proche

▬ Complete the sentences below with the *futur proche*. (10 pts.)

1. Caroline mange des frites aujourd'hui, et elle _____ des frites demain aussi.

2. Nous passons un examen à l'école aujourd'hui, et nous _____ un examen demain aussi.

3. Tu as soif aujourd'hui, et tu _____ soif demain aussi.

4. Georges et René regardent une vidéo aujourd'hui, et ils _____ une vidéo demain aussi.

5. Vous allez à l'école à pied aujourd'hui, et vous _____ à l'école à pied demain aussi.

CHAPITRE

} 5 } QUIZ 6

STRUCTURE

Les adjectifs possessifs notre, votre, leur

A Complete each sentence with a possessive adjective that corresponds to the subject of the sentence. Follow the model. (10 pts.)

Les deux sœurs sont dans <u>leur</u> chambre.

1. Marie et Lisette cherchent _____ chat.

2. Vous commandez _____ steak bien cuit, n'est-ce pas?

3. Nous invitons _____ amis au restaurant.

4. Les filles n'aiment pas _____ frites.

5. Mesdames et messieurs, la tour Eiffel est près de _____ hôtel.

B Answer each question using the correct form of *notre*, *votre*, or *leur*. (10 pts.)

1. C'est la voiture de vos amis?

   Oui, c'est _____ voiture.

2. C'est la maison de ta famille et toi?

   Oui, c'est _____ maison.

3. Ce sont les devoirs de Philippe et Pauline?

   Oui, ce sont _____ devoirs.

4. Ce sont les crêpes de ma sœur et moi?

   Oui, ce sont _____ crêpes.

5. Ce sont les cassettes de ton frère et toi?

   Oui, ce sont _____ cassettes.

CHAPITRE

} 6 } QUIZ 1

VOCABULAIRE

Mots 1

A Answer each question below with the name of the appropriate store. (5 pts.)

1. Pour acheter une baguette, je vais à la _____ .

2. Pour acheter du saucisson, je vais à la _____ .

3. Pour acheter des crevettes, je vais à la _____ .

4. Pour acheter du fromage, je vais à la _____ .

5. Pour acheter du bœuf, je vais à la _____ .

B In each group of words circle the item that does not belong with the others. (5 pts.)

1. des œufs   du lait   du jambon   du yaourt

2. des crabes   des crevettes   des croissants   du poisson

3. du gâteau   du poulet   de la viande   du bœuf

4. du pâté   une baguette   du pain   une tarte

5. de la crème   du fromage   du lait   du saucisson

CHAPITRE

} 6 } QUIZ 2

VOCABULAIRE

Mots 2

A Identify the unit or quantity in which each item is usually sold. (5 pts.)

1. un _____ de moutarde

2. une _____ d'eau minérale

3. une _____ de conserve

4. un _____ de légumes surgelés

5. une _____ d'œufs

B Complete each sentence below with the appropriate word or words. (10 pts.)

Je m'appelle Richard Leclerc. Je travaille au marché. Je suis _____ de fruits

                                                                         1

et _____ . On achète de belles pommes de _____ et de

     2   3

beaux _____ verts chez nous. Aujourd'hui on a des oranges à sept francs le

                4

_____ . C'est très bien, n'est-ce pas?

     5

CHAPITRE

} 6 } QUIZ 3

STRUCTURE

Le partitif et l'article défini

Complete each sentence with the correct form of the partitive (*du*, *de la*, *de l'*, *des*) and a definite article (*le*, *la*, *l'*, or *les*). (10 pts.)

1. Je déteste _____ thé; je vais commander _____ café.

2. Mon père adore _____ croissants; avez-vous _____ croissants ici?

3. Elle achète _____ bananes pour son mari, mais elle préfère _____ pommes.

4. Marc commande _____ viande? Mais il déteste _____ viande!

5. Vous aimez _____ eau minérale? J'ai _____ eau minérale.

CHAPITRE

} 6 } QUIZ 4

STRUCTURE

Le partitif à la forme négative

■ Write the correct forms of the partitive (*du, de la, de l', des*) in the conversation below. (10 pts.)

LA SERVEUSE: Vous désirez, Mademoiselle?

YVETTE: _____ crevettes, s'il vous plaît.
               1

LA SERVEUSE: Mais on n'a pas _____ crevettes aujourd'hui, Mademoiselle.
                                 2

YVETTE: Vous avez _____ fromage, alors?
                   3

LA SERVEUSE: Ah oui! Du bleu et du camembert!

YVETTE: Alors, je voudrais _____ camembert avec _____ pain, s'il vous plaît.
                             4   5

LA SERVEUSE: Mais nous n'avons pas _____ pain aujourd'hui, Mademoiselle.
                                 6

YVETTE: Alors, qu'est-ce que vous avez?

LA SERVEUSE: Nous avons _____ frites, Mademoiselle.
                     7

YVETTE: Chouette! Je voudrais _____ frites avec _____ moutarde, s'il vous plaît.
                           8   9

LA SERVEUSE: Mais, nous n'avons pas _____ moutarde, Mademoiselle!
                               10

CHAPITRE
} 6 } QUIZ 5

STRUCTURE

Le verbe faire *au présent*

■ Write the correct form of *faire* in each sentence below. (10 pts.)

1. Papa _____ la cuisine chez nous.

2. À l'école je _____ de la géométrie.

3. Mais mes frères ne _____ pas de maths.

4. Nous _____ attention quand le prof parle.

5. Est-ce que tu _____ tes devoirs dans ta chambre?

6. On ne _____ pas de pique-nique en décembre.

7. Qu'est-ce que vous _____ ici, les filles?

8. Claudine _____ un gâteau. C'est l'anniversaire de sa mère demain.

9. Mes petits frères ne _____ pas attention.

10. Est-ce que vous aimez _____ les courses au supermarché?

CHAPITRE
}6} QUIZ 6

STRUCTURE

Les verbes vouloir *et* pouvoir

A Complete each sentence below with the correct form of *pouvoir*. (5 pts.)

1. Jacques _____ danser.

2. Papa et Maman _____ chanter maintenant.

3. Nous _____ parler français avec nos amis français.

4. Moi, je _____ préparer une belle omelette ce soir.

5. Tu _____ faire la cuisine avec moi?

B Answer each question with the correct form of *vouloir*. Follow the model. (5 pts.)

Claire fait les courses le samedi. Et Christine et toi?
Nous aussi, *nous voulons faire les courses le samedi.*

1. Claire regarde la télé après le dîner. Et Maman?

Elle aussi, elle _____ .

2. Claire mange un steak frites. Et moi?

Toi aussi, tu _____ .

3. Claire achète des pommes aujourd'hui. Et toi?

Moi aussi, je _____ .

4. Claire donne une fête. Et Michel et moi?

Vous aussi, vous _____ .

5. Claire écoute des cassettes. Et ses frères?

Eux aussi, ils _____ _____ .

CHAPITRE
} 7 } QUIZ 1

VOCABULAIRE

Mots 1

■ Use the words from the following list to complete the paragraph below. (10 pts.)

aéroport	avion	billet	carte	choisir
comptoir	côté	enregistrer	non fumeurs	voyage

Marc va faire un _____ de Nice à Paris. Il arrive à
₁

l' _____ à neuf heures. Son _____ va
₂ ₃

décoller à dix heures et demie. Marc va au _____ de la compagnie
₄

aérienne et montre son _____ pour Paris à l'agent. Il fait
₅

_____ ses bagages. Il veut _____ sa place
₆ ₇

dans l'avion. Il préfère une place _____ fenêtre, dans la
₈

zone _____ . L'agent donne une _____
₉ ₁₀

d'embarquement à Marc.

CHAPITRE

} 7 } QUIZ 2

VOCABULAIRE

Mots 2

Complete each sentence below with an appropriate French word. Then identify by letter the scene that each sentence describes. (10 pts.)

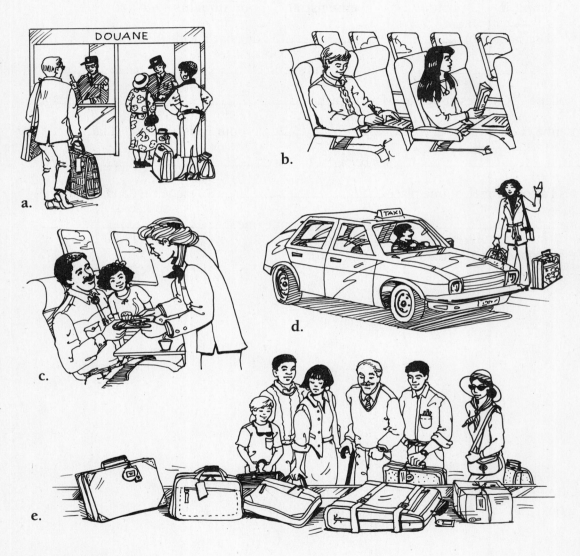

a.

b.

c.

d.

e.

____ **1.** On remplit sa _____ .

____ **2.** L' _____ sert le dîner.

____ **3.** On _____ ses bagages.

____ **4.** On passe à la _____ .

____ **5.** On cherche un _____ pour aller en ville.

CHAPITRE
} 7 } QUIZ 3

STRUCTURE

Les verbes en -ir au présent

Complete each sentence with the correct form of one of the following verbs. (Some verbs may be used more than once.) (20 pts.)

atterrir   choisir   finir   obéir   punir   remplir   réussir

1. Le petit garçon n' _____ pas à sa mère.

2. Les amis _____ des cassettes au magasin de disques.

3. On _____ les élèves qui ne font pas leurs devoirs?

4. L'avion va _____ à 9h35.

5. Nous _____ une table à la terrasse.

6. Je ne _____ pas mon dessert. Je n'ai pas faim.

7. Les passagers _____ leur carte de débarquement.

8. Tu _____ un taxi ou un autocar pour aller en ville?

9. Vous _____ vos devoirs à neuf heures et demie.

10. Elle étudie beaucoup; elle veut _____ à ses examens.

CHAPITRE

} 7 } QUIZ 4

STRUCTURE

Les adjectifs **quel** *et* **tout**

A Ask questions using the correct form of *quel* plus the noun. Follow the model. (5 pts.)

Mon oncle n'aime pas l'aéroport. *Quel aéroport?*

1. Elle ne finit pas le livre. _____

2. J'ai un cours maintenant. _____

3. On va choisir une table. _____

4. Tu aimes les fromages? _____

5. Je ne trouve pas mes copines. _____

B Complete each sentence with the correct form of *tout*. (5 pts.)

1. _____ les copains vont à la fête.

2. _____ la classe va réussir à l'examen.

3. _____ les hôtesses de l'air sont aimables.

4. _____ l'avion est non fumeurs.

5. _____ mes frères sont terribles.

CHAPITRE
} 7 } QUIZ 5

STRUCTURE

Les noms et les adjectifs en -al

🔲 Complete the answers to the questions below with the plural of the word in italics. (5 pts.)

1. Tu veux un *journal*?

Non, je veux deux _____ .

2. Tu cherches un *animal*?

Non, je cherche beaucoup d' _____ .

3. C'est un vol *international*?

Oui, ce sont des vols _____ .

4. Tu commandes un dessert *spécial*?

Oui, je commande toujours des desserts _____ .

5. Tu as une amie *originale*?

J'ai deux ou trois amies _____ !

CHAPITRE

} 7 } QUIZ 6

STRUCTURE

Les verbes sortir, partir, dormir *et* servir *au présent*

■ Complete each sentence below with the correct form of the appropriate verb from the following list. (Some verbs may be used more than once.) (20 pts.)

dormir   **partir**   **servir**   **sortir**

1. Les élèves _____ les livres de leur sac à dos.

2. Notre chien _____ dans ma chambre.

3. À quelle heure est-ce que tu _____ pour Paris?

4. Est-ce qu'on _____ le dîner pendant le vol?

5. Je _____ pour l'aéroport en taxi.

6. Nous _____ du coca à la fête.

7. Nicole n'aime pas _____ de sa chambre après dix heures du soir.

8. Les élèves ne _____ pas en classe.

9. Le samedi soir Monique _____ avec ses amis. Ils vont au cinéma.

10. Pouvez-vous _____ quand on écoute la radio dans la salle de séjour?

CHAPITRE

} 8 } QUIZ 1

VOCABULAIRE

Mots 1

A For each of the words below, choose the word from the following list that is most closely associated with it. (5 pts.)

l'annonce   les bagages   les billets   les journaux   les voyageurs

1. la consigne _____

2. le train _____

3. le haut-parleur _____

4. le guichet _____

5. le kiosque _____

B Complete the paragraph below with the appropriate words from the following list. (5 pts.)

aller-retour   compostent   la gare   quai   la queue

Aujourd'hui nous partons en vacances. Nous allons en Italie. Nous allons prendre le train

pour Rome à _____ . Nous voulons acheter nos billets, alors
                              1

nous faisons _____ devant le guichet. Nous prenons quatre
                          2

billets _____ en seconde pour Rome. Le train part du
                3

_____ numéro 2. Tous les voyageurs _____
            4   5

leur billet avant d'aller sur le quai.

CHAPITRE

} 8 } QUIZ 2

VOCABULAIRE

Mots 2

A Write the opposite of each of the following terms. (10 pts.)

1. à l'heure _____

2. monter _____

3. quelques _____

4. assis _____

5. derrière _____

B Complete each sentence below with the appropriate word from the following list. (6 pts.)

depuis   prochain   patience   quelques   voiture   voiture-lit

1. Le train qui arrive après ce train, c'est le _____ train.

2. On peut dormir dans le train dans une _____ .

3. Les voyageurs montent en _____ .

4. Tous les voyageurs descendent ici, et _____ voyageurs vont changer de train.

5. On attend le train _____ une heure et on perd

_____ .

CHAPITRE

} 8 } QUIZ 3

STRUCTURE

Les verbes en -re au présent

Complete each sentence below with the correct form of one of the following verbs. (20 pts.)

attendre   descendre   entendre   perdre   répondre   vendre

1. Michel _____ son billet. Il cherche dans son sac à dos mais il ne trouve pas le billet.

2. Les élèves ne _____ pas aux questions du prof.

3. Je suis en retard; je ne peux pas _____ mes amis.

4. Nous _____ du train à Nice.

5. On _____ des magazines au kiosque.

6. Vous n' _____ pas l'annonce du départ du train parce que vous écoutez la radio.

7. Les amis des passagers _____ l'arrivée du vol 303.

8. Est-ce que tu _____ patience avec les enfants?

9. Le passager _____ sa valise du compartiment.

10. Je _____ au téléphone, mais c'est pour Papa.

CHAPITRE

} 8 } QUIZ 4

STRUCTURE

Les adjectifs démonstratifs

A Answer the following questions using the correct form of *ce*. Follow the model. (5 pts.)

Vous écoutez quelle cassette?
J'écoute _cette_ cassette.

1. Quels profs sont difficiles?

   _____ profs sont difficiles.

2. Quelle couchette est prise?

   _____ couchette est prise.

3. Elle aime quel garçon?

   Elle aime _____ garçon.

4. Quelles filles sont belles?

   _____ filles sont belles.

5. Quel homme est ton père?

   _____ homme est mon père.

B Complete each sentence with the correct form of *ce*. (5 pts.)

1. Nous allons à _____ ville.

2. Nous partons de _____ gare.

3. Nous laissons _____ bagages à la consigne.

4. Je composte _____ billet.

5. Nous attendons _____ ami.

CHAPITRE

} 8 } QUIZ 5

STRUCTURE

Le verbe **mettre** *au présent*

█ Complete the paragraph with the correct forms of the verb *mettre*. (20 pts.)

C'est l'heure du dîner chez nous. Maman prépare le dîner et elle annonce: «Les enfants, vous

pouvez _____ le couvert maintenant!» Moi, je _____ les
        ₁   ₂

fourchettes. Caroline et Michel _____ les verres. La petite Émilie
                                 ₃

_____ les cuillères. Michel et moi, nous _____ les assiettes.
 ₄   ₅

Et les couteaux? Maman demande: «Caroline, tu _____ les couteaux,
                                               ₆

d'accord?» Maman regarde la table, mais elle n'est pas très contente: «Comment? On ne

_____ pas de nappe ce soir?» Je réponds: "D'accord, Maman, je
 ₇

_____ la nappe». «Mais non, Brigitte! Nous ne _____ pas
 ₈   ₉

la nappe après les couverts. Tu peux _____ les serviettes maintenant et tout le
                                      ₁₀

monde va dîner. À table!»

CHAPITRE

} 9 } QUIZ 1

VOCABULAIRE

Mots 1

▮ Complete each sentence below with the appropriate word from the following list. (10 pts.)

attraper	**été**	**lunettes**	**maillot**	**mer**
moniteur	**nager**	**piscine**	**prendre**	**sable**

1. On fait du surf dans la _____ .

2. On apprend à _____ dans l'eau.

3. Un _____ donne des leçons de natation dans une station balnéaire.

4. On met un _____ de bain pour aller dans l'eau.

5. Je n'aime pas la plage. Je préfère nager dans une _____ .

6. On ne fait pas de ski nautique en décembre. On fait du ski nautique

   en _____ .

7. Au bord de la mer il y a une plage avec beaucoup de _____ blanc.

8. Tu veux faire de la planche à voile? Il faut _____ des leçons.

9. Je vais mettre des _____ de soleil aujourd'hui.

10. Je ne veux pas _____ de coup de soleil.

CHAPITRE
} 9 } QUIZ 2

VOCABULAIRE

Mots 2

A Answer the question «*Quel temps fait-il?*» in a different way for each illustration. (5 pts.)

1.

2.

3.

4.

5.

1. _____

2. _____

3. _____

4. _____

5. _____

B Complete the paragraph about tennis with the appropriate words. (10 pts.)

Sarah va faire une _____ de tennis aujourd'hui avec Jean-Claude.
                                            1

Elle met sa _____ , son tee-shirt et ses _____
                     2   3

de tennis. Elle prend sa _____ et des balles, et elle va au
                                           4

_____ de tennis. Bonne chance, Sarah!
           5

CHAPITRE

} 9 } QUIZ 3

STRUCTURE

Les verbes prendre, apprendre *et* comprendre *au présent*

▌ Complete the paragraph below with the correct forms of the following verbs. (20 pts.)

prendre **apprendre** **comprendre**

Claire et moi, nous voulons _____ à faire de la planche à voile.
                                                    1

Nous _____ des leçons à la plage. Le moniteur arrive avec la planche à
          2

voile. Claire _____ la planche et moi, je _____ la
                  3   4

voile, et nous allons dans la mer. Le moniteur explique: «Maintenant vous mettez la voile sur la

planche. Vous _____ ?» Mais oui, nous _____ !
                      5   6

Ce n'est pas difficile! Nous sommes des élèves intelligentes; nous _____
                                                                              7

rapidement. Après la leçon de planche à voile, Claire veut _____ à faire du
                                                                    8

surf! Je ne _____ pas mon amie. Pourquoi toutes ces leçons?! Moi, je
                9

vais _____ un bain de soleil sur la plage.
        10

CHAPITRE

} 9 } QUIZ 4

STRUCTURE

Les pronoms accentués

■ Complete each sentence with the appropriate stress pronoun (*moi*, *toi*, etc.). (10 pts.)

1. «David, c'est toi?» «Oui, Maman, c'est _____ ».

2. Tu regardes ce magazine? Je peux regarder avec _____ ?

3. Ma petite sœur peut faire du surf _____ -même.

4. _____ , ils sont tous les jours en retard.

5. «Ce livre est pour vous, René et Paul!» «C'est pour _____ ?

   Mais non, c'est pour Natalie».

6. C'est Albert sur la photo? Non, ce n'est pas _____ .

7. Les filles peuvent prendre leurs lunettes de soleil avec _____ .

8. Et _____ , Madame? Vous voyagez pendant l'été?

9. Attention, vous deux! Regardez devant _____ !

10. _____ , je n'aime pas le ski nautique.

CHAPITRE

} 9 } QUIZ 5

STRUCTURE

Les adjectifs avec une double consonne

Complete each sentence below with the correct form of the indicated adjective. (10 pts.)

1. Papa travaille pour une compagnie _____ .
(aérien)

2. C'est une photo de mon ami assis dans un café _____ .
(parisien)

3. Aujourd'hui j'ai un cours d'histoire _____ .
(européen)

4. La soupe est _____ mais le sandwich est terrible!
(bon)

5. Montréal est une grande ville _____ .
(canadien)

6. Mes copines sont très _____ .
(gentil)

7. Les plages _____ sont très belles, n'est-ce pas?
(italien)

8. *Notre-Dame de Paris* est un très _____ livre. Tu es d'accord?
(bon)

9. Vous aimez la cuisine _____ ?
(italien)

10. Ces garçons sont de _____ joueurs!
(bon)

CHAPITRE
}10} QUIZ 1
VOCABULAIRE
Mots 1

A Identify each piece of clothing below. Follow the model. (5 pts.)

MODÈLE:

_____*une cravate*_____   1. _____   2. _____

3. _____   4. _____   5. _____

B Complete the paragraph below, using the words from the following list. (5 pts.)

boutique   **chers**   **rayon**   **tailleurs**   **vendeuse**

Nicole veut faire des achats dans une _____. Elle regarde
                                                              1
les _____ , mais ils sont _____ .
              2   3
Une _____ arrive avec des jupes et des vestes pour le _____
              4   5
prêt-à-porter. C'est fantastique! Nicole voit une jolie jupe rouge.

CHAPITRE
}10} QUIZ 2

VOCABULAIRE

Mots 2

A Write the opposite of each of the following terms. (10 pts.)

1. large _____

2. bas _____

3. au-dessous _____

4. court _____

5. noir _____

B Complete each of the following statements with an appropriate word. (10 pts.)

1. On donne un _____ à une amie pour son anniversaire.

2. Bleu, vert et orange sont des _____ .

3. La mesure des chaussures est la _____ .

4. La mesure d'une robe est la _____ .

5. Claire veut acheter un chemisier, et il y a des soldes aujourd'hui! Elle est

très _____ .

CHAPITRE
}10} QUIZ 3

STRUCTURE

Les verbes croire *et* voir *au présent*

A Complete each sentence below with the correct form of *croire*. (5 pts.)

1. Christine _____ que tous les Américains sont riches.

2. Laurent et Claude _____ qu'il y a des «cowboys» dans toutes les grandes villes des États-Unis.

3. Nous _____ que tous les élèves français portent des jeans.

4. Moi, je _____ que les trains sont toujours à l'heure en France.

5. Et toi? Qu'est-ce que tu _____ ?

B Complete each sentence below with the correct form of *voir*. (5 pts.)

1. On peut _____ beaucoup de choses quand on regarde bien.

2. Moi, je _____ un bouquet de roses.

3. Ces deux femmes _____ la tour Eiffel.

4. Monsieur Henri _____ son père.

5. Qu'est-ce que vous _____ ?

CHAPITRE

}10} QUIZ 4

STRUCTURE

D'autres adjectifs irréguliers

A Complete the responses to each question below with the appropriate form of the adjective indicated. (5 pts.)

1. Renée est sérieuse? Oui, et son frère est _____ aussi.

2. François est sportif? Oui, et sa sœur est _____ aussi.

3. Les chaises sont basses? Oui, et les bureaux sont _____ aussi.

4. Les garçons sont actifs? Oui, et leurs amies sont _____ aussi.

5. Papa est heureux? Oui, et Maman est _____ aussi.

B Complete the paragraph below with the appropriate forms of the following adjectives. (10 pts.)

actif   **cher**   **favori**   **heureux**   **long**

Voilà Eugénie! Elle joue au tennis, au foot, au basket et au volley. C'est une fille

très _____ . Le tennis est son sport _____ . Elle joue au
      1   2

tennis pendant de _____ heures chaque jour après les cours. Ses parents
                   3

sont _____ parce qu'elle est bien occupée et une raquette n'est pas
     4

très _____ .
     5

CHAPITRE

}10} QUIZ 5

STRUCTURE

Le comparatif des adjectifs

Write comparative sentences using the indicated words. Follow the model. (10 pts.)

Jean / plus beau / Marc
Jean est plus beau que Marc.

1. Annie / plus intelligent / Claude

   _____

2. Ses tartes / aussi bon / ses gâteaux

   _____

3. M. Noiret / moins sportif / Mme Noiret

   _____

4. Leur maison / plus grand / ma maison

   _____

5. Jeanne Noiret /moins patient / son cousin

   _____

CHAPITRE
}10} QUIZ 6

STRUCTURE

Le superlatif

Write sentences with the superlative, using the indicated words. Follow the model. (10 pts.)

Ce livre / moins intéressant / tous mes livres.
Ce livre est le moins intéressant de tous mes livres.

1. La chemise rouge / moins cher / toutes les chemises

   _____

2. Carole / plus actif / toutes mes copines

   _____

3. Ces robes / moins joli / toute la boutique

   _____

4. Ce pantalon / plus large / tous mes pantalons

   _____

5. Ces restaurants / plus bon / toute la région

   _____

CHAPITRE
} 11 } QUIZ 1

VOCABULAIRE

Mots 1

A Use an infinitive to identify each of the activities depicted below. (10 pts.)

1. _____

2. _____

3. _____

4. _____

5. _____

B Choose the word that best completes each sentence. (5 pts.)

1. Paul va se raser devant la _____ . (toilette, glace).

2. Il a besoin de _____ (savon, lit) pour faire sa toilette.

3. Il va se peigner les _____ . (chaussures, cheveux).

4. Il prend son _____ (bain, petit déjeuner) dans la cuisine.

5. Il a besoin de dentifrice pour se brosser les _____ (cheveux, dents).

CHAPITRE

{ 11 } QUIZ 2

VOCABULAIRE

Mots 2

Write the most logical completion for each sentence below, choosing from the following expressions. (Each expression may be used only once.) (10 pts.)

faire de l'aérobic	**grossir**	**gymnase**	**maigrir**	**pratiquer un sport**
rester	**s'amuser**	**se mettre**	**se promener**	**survêtement**

1. Dans un club de forme on peut _____ pour se mettre en forme.

2. Il faut beaucoup manger pour _____ .

3. Pour _____ il faut manger moins.

4. On va danser et _____ avec nos amis à la fête.

5. Après les cours les élèves sportifs aiment _____ .

6. Pour faire du jogging on met un _____ .

7. On peut _____ dans le parc ou sur la plage.

8. Robert n'est pas en forme maintenant; il veut _____ en forme.

9. On fait de la gymnastique dans un _____ .

10. Quand on est en forme, on fait de l'exercice pour _____ en forme.

CHAPITRE
}11} QUIZ 3

STRUCTURE

Les verbes réfléchis

◼ Complete each sentence with the correct form of the verb indicated. (20 pts.)

1. Nicole _____ pendant vingt minutes. (se peigner)

2. Nous _____ les premiers. (se lever)

3. Les garçons _____ à 6h du matin. (se réveiller)

4. Papa _____ tous les matins. (se raser)

5. Je _____ les cheveux tous les matins. (se laver)

6. Tu _____ avant ou après le petit déjeuner? (s'habiller)

7. Maman ne _____ pas tous les jours. (se maquiller)

8. Est-ce que vous _____ avec des amis le matin? (se promener)

9. Mon frère n'aime pas _____ les dents. (se brosser)

10. Je ne _____ pas avec de l'eau froide. (se laver)

CHAPITRE
}11} QUIZ 4

STRUCTURE

Verbes avec changements d'orthographe

■ Complete the paragraph below with the correct forms of the following verbs. (20 pts.)

acheter	commencer	manger	nager
s'appeler	se lever	se promener	voyager

Je _____ Solange Daudain, et ma sœur

1

_____ Nicole. Ce matin, Nicole et moi, nous

2

_____ à 6h parce que nous avons un match de natation.

3

C'est mon sport favori! Le match est à 9h, mais d'abord nous _____

4

dans le parc pour nous mettre en forme. Ensuite Nicole prend du pain avec du beurre,

mais moi, je ne mange pas avant un match. La piscine est à 5 kilomètres de chez nous. Nous

y _____ en métro avec Maman, et nous y arrivons à 8h30. Nicole

5

et moi, nous _____ dans la piscine avant le match. Enfin, il est 9h

6

et le match _____ . Tout le monde plonge dans l'eau. Nous allons

7

vite, mais moi, je _____ plus vite que les autres. Je finis la

8

première. Après le match nous allons au café où Maman _____

9

le déjeuner. Maintenant nous avons très faim et nous _____

10

beaucoup.

CHAPITRE
⟩11⟩ QUIZ 5

STRUCTURE

Le pronom interrogatif qui

■ For each of the statements below, write a complete question using *qui* about the person whose name is in italics. (20 pts.)

1. *Robert* est à la porte.

_____

2. Je vois *Suzanne* au parc.

_____

3. Nous parlons avec *Mme Joubert*.

_____

4. *Caroline* n'aime pas l'école.

_____

5. Nous invitons *Claire et Annette*.

_____

6. Elles vont chez *Jacques*.

_____

7. La carte est pour *Benoît*.

_____

8. *Christophe* achète du savon.

_____

9. *Danielle* met le chemisier blanc.

_____

10. Nous attendons *Geneviève*.

_____

CHAPITRE
}12} QUIZ 1

VOCABULAIRE

Mots 1

■ Complete each sentence below with an appropriate word about driving. (20 pts.)

1. Il faut _____ pour aller plus vite.

2. Papa a une voiture de _____ .

3. Maman préfère le _____ parce qu'il est plus grand que la voiture de sport de Papa.

4. Le pompiste fait le _____ .

5. Il met de l'ordinaire dans le _____ .

6. Le _____ est à plat.

7. Dans la voiture il y a des passagers et un _____ .

8. Mon frère ne _____ pas vite.

9. On a besoin d'une _____ pour mettre le contact.

10. On _____ pour s'arrêter.

CHAPITRE
}12} QUIZ 2

VOCABULAIRE

Mots 2

A Using the following choices, complete each of the French expressions below. (5 pts.)

à péage   de conduire   de conduite   de sécurité   de vitesse

1. le permis _____

2. les leçons _____

3. la limitation _____

4. l'autoroute _____

5. la ceinture _____

B Complete each statement about driving in France with one of the following words. (5 pts.)

auto-école   contravention   croisement   garer   traverse

1. Pour apprendre à conduire on va à une _____ .

2. On cherche une place pour _____ la voiture.

3. On _____ la rue dans les clous.

4. On freine à un _____ .

5. Le motard donne une _____ au conducteur qui roule trop vite.

CHAPITRE

}12} QUIZ 3

STRUCTURE

Les verbes conduire, lire, écrire *et* dire *au présent*

◼ Complete each sentence below with the correct form of the appropriate verb from the following list. (Note that verbs may be used more than once.) (20 pts.)

conduire   **lire**   **écrire**   **dire**

1. Nous _____ bonjour au professeur quand nous entrons dans la classe.

2. Nous _____ une lettre à notre grand-mère qui habite loin de nous.

3. J'aime _____ des magazines de sport.

4. Quelle marque de voiture est-ce que tu _____ ?

5. Le prof _____ à la classe: «Faites attention!»

6. Est-ce que les garçons _____ plus vite que les filles sur l'autoroute?

7. Pardon! Je n'entends pas. Qu'est-ce que vous _____ ?

8. Mon ami Jacques _____ un livre tous les jours.

9. Ils _____ leurs devoirs sur une feuille de papier.

10. Est-ce que vous _____ le journal tous les soirs?

CHAPITRE

}12} QUIZ 4

STRUCTURE

Les mots négatifs

A Answer the questions below in complete negative sentences, using *ne. . . rien*, *ne. . . jamais*, and *ne. . . personne* as appropriate. (20 pts.)

1. Qui est-ce que tu vois?

_____

2. Quand est-ce que ton père danse?

_____

3. Qu'est-ce qu'elle lit?

_____

4. Vous mangez quelque chose?

_____

5. Ta mère va souvent au marché?

_____

6. Tu écris à Claude ou à Paul?

_____

7. Les garçons se lavent tous les jours?

_____

8. Qu'est-ce que Georges dit?

_____

9. Ton père fait quelquefois du jogging?

_____

10. À qui est-ce que Michel parle?

_____

CHAPITRE
}12} QUIZ 5

STRUCTURE

Les questions et les mots interrogatifs

A For each statement below, write an appropriate *informal* question. Follow the model. (10 pts.)

Je lis le journal *le samedi*.
Tu lis le journal quand?

1. Nous allons *à la plage*. _____

2. Nous partons *à huit heures*. _____

3. J'y vais *avec Paul*. _____

4. On y va *en bus*. _____

5. Paul est *de Marseille*. _____

B For each statement below, write an appropriate question using the *formal inverted* form. Follow the model. (10 pts.)

J'ai *cinq voitures*.
Combien de voitures avez-vous?

1. J'étudie la musique *parce que j'adore jouer et chanter*.

_____

2. J'écoute de la musique *tous les jours*.

_____

3. J'aime écouter *Madonna et U2*.

_____

4. Mes parents trouvent la musique *très belle*.

_____

5. La musique parle *à tout le monde*.

_____

CHAPITRE

}13} QUIZ 1

VOCABULAIRE

Mots 1

■ Complete each sentence below with an appropriate word about soccer. (20 pts.)

1. On joue au foot sur un _____ dans un stade.

2. Il y a onze joueurs dans une _____ de football.

3. Pour jouer au foot on donne un coup de pied dans le _____ .

4. On veut _____ un but pendant le match.

5. Le _____ garde le but.

6. L'_____ siffle pour commencer ou arrêter le match.

7. Les _____ regardent le match.

8. Ils sont assis dans les _____ .

9. Il n'y a pas de places libres dans le stade; le stade est _____ .

10. Aujourd'hui, Lyon joue _____ Paris.

Nom _____ Date _____

}13} QUIZ 2

VOCABULAIRE

Mots 2

A Place each of the following sports terms under the correct heading in the chart below. (Some words may be used more than once.) (5 pts.)

le ballon   **le filet**   **le panier**   **la piste**   **le vélo**

Le basket-ball	Le volley-ball	La course cycliste

B Complete each negative sentence below with an appropriate word. (10 pts.)

1. Tu vas travailler maintenant? Non, je vais _____ au foot.

2. Le football américain est un sport de printemps? Non, c'est un sport

d' _____ .

3. Ton frère veut perdre le match? Non, il veut _____ le match.

4. Tu aimes servir? Non, je préfère _____ le ballon.

5. Le joueur lance le ballon au sol? Non, il lance le ballon par _____ le filet.

CHAPITRE

}13} QUIZ 3

STRUCTURE

Le passé composé des verbes réguliers

A Complete the answers to the questions below using the *passé composé*. Follow the model. (10 pts.)

Maman va regarder le match demain? **Non,** *elle a regardé le match* **la semaine dernière.**

1. On va jouer au tennis samedi?

Non, _____ la semaine dernière.

2. Il va finir les leçons de basket vendredi?

Non, _____ la semaine dernière.

3. Vous allez dîner au café samedi soir?

Non, _____ la semaine dernière.

4. Michel va répondre aux lettres dimanche?

Non, _____ la semaine dernière.

5. Tu vas dormir chez ta tante samedi?

Non, _____ la semaine dernière.

B Complete the sentences below using the *passé composé*. Follow the model. (10 pts.)

Philippe dîne chez moi ce soir et... *il a dîné chez moi* **hier.**

1. Vous quittez la maison à 7h ce matin et...

_____ hier.

2. Ils finissent leur petit déjeuner avant moi aujourd'hui et...

_____ hier.

3. Je ne dors pas tard ce matin et...

_____ hier.

4. Nous attendons les copains devant l'école cet après-midi et...

_____ hier.

5. Tu n'écoutes pas le prof aujourd'hui et...

_____ hier.

CHAPITRE
}13} QUIZ 4

STRUCTURE

Qu'est-ce que

A For each statement below, ask a question using *Qu'est-ce que* according to the model. (10 pts.)

J'ai acheté un nouveau ballon de basket.
Qu'est-ce que tu as acheté?

1. J'écoute la musique.

   _____

2. Émilie a lancé le ballon.

   _____

3. Le prof a donné un devoir.

   _____

4. Je n'aime pas le volley-ball.

   _____

5. Il attend l'avion.

   _____

B Rewrite the questions below in formal French using *que* + inversion. (10 pts.)

1. Qu'est-ce que vous faites à l'école?

   _____

2. Qu'est-ce qu'ils mangent au déjeuner?

   _____

3. Qu'est-ce que vous lisez?

   _____

4. Qu'est-ce vous aimez regarder à la télé?

   _____

5. Qu'est-ce qu'il fait?

   _____

Nom_____ Date _____

VOCABULAIRE

Mots 1

A Choose the correct word to complete each sentence below. (5 pts.)

1. Quand on fait du ski, on met un bonnet, un anorak et des _____. (gants, bosses)

2. On a besoin de skis et de _____ pour faire du ski de fond. (joueurs, bâtons)

3. On prend le télésiège pour aller au _____. (sommet, châlet)

4. On est un débutant quand on _____ à apprendre à skier. (commence, finit)

5. On trouve des pistes à la _____. (plage, montagne)

B Show the order in which the following actions occurred by numbering the sentences from 1 to 5. (5 pts.)

____ Il a mis ses skis.

____ Il a mis son anorak, ses gants et ses chaussures de ski.

____ Il a pris une leçon de ski.

____ Il a descendu la piste pour les débutants.

____ Il a pris le train pour aller à la station de sports d'hiver.

CHAPITRE

}14} QUIZ 2

VOCABULAIRE

Mots 2

A For each group of words below, circle the one word that does not belong with the others. (5 pts.)

1. la neige   geler   la glace   chaud

2. le skieur   le moniteur   le patineur   le coureur

3. l'anorak   les patins   les gants   la raquette

4. le terrain   la patinoire   la glace   la neige

5. la boule   la bosse   le ballon   la balle

B Complete each of the following sentences with an appropriate word. (10 pts.)

1. Hélène met son anorak parce qu'il fait _____ .

2. On ne voit pas le soleil aujourd'hui; le ciel est _____ .

3. Il gèle? Oui, la _____ est très basse.

4. En hiver Patrick fait du patin à _____ .

5. Le débutant a fait une chute; il a eu un _____ .

CHAPITRE
}14} QUIZ 3

STRUCTURE

Le passé composé des verbes irréguliers

A For each question below, answer with the *passé composé* according to the model. (10 pts.)

Claire va conduire à la montagne?   **Elle *a déjà conduit à la montagne.***

1. Tu veux avoir des crevettes?

J'_____.

2. Vous allez mettre le couvert?

Les enfants _____.

3. Nous allons faire une omelette?

Papa _____.

4. Il veut voir le film américain?

Nous _____.

5. Nous allons lire *Le Comte de Monte-Cristo*?

Mais tu _____.

B For each sentence below write a question in the *passé composé* according to the model. (10 pts.)

Catherine prend le télésiège.   **Elle *a pris le télésiège* l'été dernier?**

1. Renaud apprend à faire du ski nautique.

_____ l'été dernier?

2. Christine écrit de longues lettres à son ami.

_____ l'été dernier?

3. Je suis moniteur dans une station balnéaire.

_____ l'été dernier?

4. Ma mère comprend les instructions du moniteur.

_____ l'été dernier?

5. Mon père ne veut pas nager.

_____ l'été dernier?

CHAPITRE

} 14 } QUIZ 4

STRUCTURE

Les pronoms qui *et* quoi

A For each statement below, write an informal question with *qui* or *quoi*. Follow the model. (10 pts.)

> **J'ai besoin *d'un nouvel anorak*.**
> **Tu as besoin de quoi?**

1. J'écris *au président*.

_____

2. Ma tante danse *avec le prof*.

_____

3. Je fais du ski *avec mes bâtons*.

_____

4. Ma grand-mère habite *chez mes parents*.

_____

5. Pour faire une omelette j'ai besoin *d'œufs*.

_____

B For each statement below, write a formal question with *qui* or *quoi*. (10 pts.)

1. Vous n'avez besoin *de rien*. La station de sports d'hiver va avoir tout l'équipement.

_____?

2. Il prend des leçons *avec trois autres personnes*.

_____?

3. Nous mettons nos skis *sur la voiture*.

_____?

4. Je donne l'argent *à la vendeuse*.

_____?

5. Les moniteurs parlent *du ski alpin*.

_____?

CHAPITRE

}15} QUIZ 1

VOCABULAIRE

Mots 1

A Complete the sentences below with the appropriate word. (5 pts.)

1. On voit avec ses _____ .

2. On entend avec ses _____ .

3. On ouvre la _____ pour parler.

4. Quand on a une angine on a très mal à la _____ .

5. On a besoin de kleenex quand on a le _____ qui coule.

B Choose the appropriate word to complete each sentence. (5 pts.)

1. Philippe a mal à la _____ (tête, fièvre).

2. Elle est enrhumée; elle a besoin d'un _____ (ventre, mouchoir).

3. Qu'est-ce qu'il _____ (fait, a)? Il ne se sent pas bien.

4. Il a trop mangé et il a mal au _____ (ventre, frisson).

5. Elle a de la fièvre; elle n'est pas en bonne _____ (grippe, santé).

CHAPITRE

{ 15 } QUIZ 2

VOCABULAIRE

Mots 2

A Identify the following people in French. (5 pts.)

1. Elle vend des médicaments: _____

2. Il ausculte les malades: _____

3. Elle a la grippe: _____

4. Il écrit des ordonnances: _____

5. Il ne se sent pas bien: _____

B Complete the paragraph below with the following words. (5 pts.)

comprimé   pauvre   pharmacie   respire   tousse

Marianne a des allergies. Elle prend un _____ qu'elle achète à

la _____ . Aujourd'hui, il fait froid et elle _____
        2   3

beaucoup. En plus, elle a mal quand elle _____ .
                                                      4

_____ Marianne! Elle n'est pas du tout dans son assiette!
        5

CHAPITRE
} 15 } QUIZ 3

STRUCTURE

Les pronoms **me, te, nous, vous**

A For each subject in italics, complete the sentences with the appropriate pronoun (*me*, *te*, *nous*, or *vous*). (5 pts.)

1. *Je* vais répondre au téléphone. On _____ téléphone.

2. *Jeannette et toi*, vous allez répondre au téléphone. On _____ téléphone.

3. *Madame Bois,* vous allez répondre au téléphone. On _____ téléphone.

4. *Philippe et moi*, nous allons répondre au téléphone. On _____ téléphone.

5. *Claude*, tu vas répondre au téléphone. On _____ téléphone.

B Use a pronoun to answer each question below with a complete sentence. (10 pts.)

1. Tu me quittes maintenant?

Oui, _____ .

2. Je peux te lancer la balle?

Oui, _____ .

3. Tu vas me renvoyer la balle?

Non, _____ .

4. Ton ami t'attend chez lui?

Oui, _____ .

5. Je peux vous regarder?

Non, _____ .

CHAPITRE
}15} QUIZ 4

STRUCTURE

Les verbes comme ouvrir *au présent et au passé composé*

A Complete each sentence below with the correct present-tense form of *ouvrir, souffrir, couvrir, découvrir,* or *offrir*. (10 pts.)

1. Le garçon _____ la porte pour le vieil homme.

2. Nous _____ des roses à Maman pour son anniversaire.

3. Quand le médecin t'examine la gorge il faut _____ la bouche, n'est-ce pas?

4. Pauvre petit! Tu _____ beaucoup?

5. Les filles _____ le secret de leur ami.

B Complete each sentence below with the correct *passé composé* form of the verbs in Part A above. (10 pts.)

1. Christophe Colomb _____ l'Amérique.

2. Vous _____ pendant cet hiver très froid?

3. On _____ le livre à la page 90.

4. Les enfants _____ un cadeau à leur père.

5. J' _____ le bébé avec une couverture.

CHAPITRE
}15} QUIZ 5

STRUCTURE

L'impératif

A Write a command for each of the people indicated below. Follow the model. (5 pts.)

Michel / rester au lit
Reste au lit!

1. Claude / regarder ton livre _____

2. Marie et Marc / écrire la phrase _____

3. Les filles / ne pas parler _____

4. Étienne / lire la page 21 _____

5. Les élèves / écouter _____

B For each sentence below, suggest to a friend that the two of you do the same thing. Follow the model. (5 pts.)

Madame Passavant regarde un film à la télé.
Regardons un film à la télé!

1. Les Lavin vont à la plage.

_____

2. François joue au basket.

_____

3. Julie et Margot ne font pas de devoirs.

_____

4. Zazie voit un film français.

_____

5. Gaston mange une pizza.

_____

CHAPITRE

} 16 } QUIZ 1

VOCABULAIRE

Mots 1

A Identify the following types of films in French. (5 pts.)

1. _____

2. _____

3. _____

4. _____

5. _____

B Complete the following paragraph with the appropriate words. (10 pts.)

Geneviève veut aller au théâtre. Elle veut voir une _____ de Shakespeare en
                                                          1

version française. Elle achète son _____ au _____ et elle entre dans le
                                           2   3

théâtre. Le _____ se lève. Geneviève regarde les acteurs sur la _____ .
                  4   5

CHAPITRE
}16} QUIZ 2

VOCABULAIRE

Mots 2

■ Complete the sentences with the appropriate words. (10 pts)

1. Pour voir une exposition d'art, on va _____.

2. Un homme qui fait des statues, c'est _____.

3. Une femme qui fait des tableaux, c'est _____.

4. Je m'appelle Marc. Marc, c'est mon _____.

5. Les tableaux d'un peintre, c'est son _____.

CHAPITRE
{16} QUIZ 3

STRUCTURE

Les verbes connaître *et* savoir *au présent*

▮ Complete each sentence with the correct form of either *savoir* or *connaître*. (20 pts.)

1. Monique _____ le nom du voisin.

2. Nous ne _____ pas l'heure du départ du train.

3. _____ -vous ma sœur?

4. Ils _____ danser la valse.

5. Je ne _____ pas bien Paris.

6. Tu veux _____ son numéro de téléphone?

7. Régine et Serge ne _____ pas ce quartier.

8. On ne peut pas _____ toute la ville.

9. Vous _____ faire la cuisine?

10. Non, madame, je ne _____ pas la réponse.

CHAPITRE

16 QUIZ 4

STRUCTURE

Les pronoms le, la, les

A Answer as indicated, replacing the nouns in italics with pronouns (*le*, *la*, *l'*, or *les*). (10 pts.)

1. Tu aimes *ce film*?

Non, _____.

2. Paul mange *ces fruits*?

Oui, _____.

3. Tu prends *ta valise*?

Oui, _____.

4. Robert et Catherine, vous connaissez *ce peintre*?

Oui, _____.

5. Les Dupont vont acheter *cette voiture*?

Non, _____.

B Complete the paragraph with the correct pronouns. (5 pts.)

Où est ma raquette de tennis? Je veux _____ prendre, mais je ne _____ trouve pas!
                                       1   2

Les balles de tennis, je sais exactement où je _____ mets d'habitude. Mais la raquette, non.
                                                3

Bon, je vais _____ chercher. Ah! La voilà! Maintenant je _____ ai. Je vais jouer au tennis.
             4   5

Au revoir!

CHAPITRE
}16} QUIZ 5

STRUCTURE

Les prépositions avec les noms géographiques

Complete each sentence below with the correct prepositions. (10 pts.)

1. Je vais _____ Paris _____ France.

2. Il va _____ Tokyo _____ Japon.

3. Carole va _____ Barcelone _____ Espagne.

4. Nous allons _____ Mexico _____ Mexique.

5. Marie-Claire va _____ Chicago _____ États-Unis.

CHAPITRE
} 16 } QUIZ 6

STRUCTURE

Les verbes irréguliers venir, revenir *et* devenir *au présent*

◼ Complete each sentence below with the correct form of *venir*, *revenir*, or *devenir*, as appropriate. (10 pts.)

1. Nous allons au cinéma, mais Maman ne _____ pas avec nous.

2. Chantal _____ nerveuse quand elle conduit sur l'autoroute.

3. François ne veut pas _____ en Europe avec Paul et moi.

4. Tu nous quittes? Oui, mais je _____ dans une heure.

5. _____ ici, Madame! Voici les jupes que vous cherchez!

CHAPITRE

}16} QUIZ 7

STRUCTURE

La préposition de avec les noms géographiques

Tell which countries the following people are from, based on the cities they live in. Follow the model. (10 pts.)

Ariane habite à Casablanca.
Elle vient du Maroc.

1. Marie habite à Los Angeles.

   _____

2. Vincent habite à Québec.

   _____

3. J'habite à Nice.

   _____

4. Mme Muller habite à Berlin.

   _____

5. Les Smith habitent à Londres.

   _____

CHAPITRE

}17} QUIZ 1

VOCABULAIRE

Mots 1

■ Choose the best completion for each sentence. (10 pts.)

1. Mme Bouvier est entrée dans _____ d'un hôtel. (le hall, la clé)

2. Elle est allée _____ . (à la réception, à l'escalier).

3. Elle a montré _____ au réceptionniste. (son passeport, sa fiche d'enregistrement)

4. Elle a demandé une chambre à un _____ . (lit, étage).

5. Elle _____ au sixième. (est montée, est sortie)

6. Elle a ouvert _____ de sa chambre avec une clé. (la porte, la cour)

7. C'est une chambre qui _____ sur la cour. (donne, montre)

8. Elle est allée à la salle de _____ pour prendre une douche. (bains, réception)

9. Elle a attendu l' _____ pour descendre. (ascenseur, escalier)

10. Au rez-de-chaussée elle est sortie _____ . (de l'hôtel, du dîner)

CHAPITRE

} 17 } QUIZ 2

VOCABULAIRE

Mots 2

A Number the sentences in the order in which they occurred. (5 pts.)

_____ Il est descendu à la réception.

_____ Il a payé avec un chèque de voyage.

_____ Il a vérifié les frais.

_____ Il a libéré la chambre.

_____ Il a demandé la facture.

B Choose the appropriate word to complete each sentence. (5 pts.)

1. On paie en _____ . (caisse, espèces)

2. On met la robe sur un _____ . (rouleau, cintre)

3. On se lave avec du _____ . (savon, drap)

4. On dort sur un _____ . (oreiller, placard)

5. On se sèche avec une _____ . (serviette, couverture)

CHAPITRE

}17} QUIZ 3

STRUCTURE

Le passé composé avec être

A For each question below, write the answer using the *passé composé*. (10 pts.)

1. Luc et Paul, vous allez monter en haut de la tour Eiffel?

   Nous _____ hier.

2. Tu vas sortir avec Nicole?

   Je _____ hier.

3. Il va descendre du troisième étage?

   Il _____ hier.

4. Monique et Marie vont aller au Louvre?

   Elles _____ hier.

5. Carine va rentrer tard ce soir?

   Elle _____ hier.

B Complete the sentences below with the *passé composé*. (10 pts.)

1. La famille va à la plage.

   _____ l'été dernier.

2. Oncle Georges vient chez nous.

   _____ l'été dernier.

3. Les garçons descendent du train à Avignon.

   _____ l'été dernier.

4. J'arrive chez Louise le 14 juillet.

   _____ l'été dernier.

5. René et toi, vous partez ensemble.

   _____ l'été dernier.

CHAPITRE

}17} QUIZ 4

STRUCTURE

D'autres verbes avec être *au passé composé*

■ Complete the paragraph below with the *passé composé* of the indicated verbs. (10 pts.)

Louis Pasteur _____ (naître) à Dole en 1822. Il a étudié à l'École
                              1

Normale et à la Sorbonne. En 1867 il _____ (devenir) professeur de
                                                          2

chimie à la Sorbonne. Il a découvert l'origine bactérienne de beaucoup de maladies, et, plus tard, il

a découvert la vaccination pour les hommes et les animaux qui _____ (tomber)
                                                                                    3

malades de la rage. En 1888 on a fondé l'Institut Pasteur à Paris, où il _____
                                                                                      4

(rester) travailler pour la santé générale. Pasteur _____ (mourir) en 1895.
                                                                        5

CHAPITRE
}17} QUIZ 5

STRUCTURE

Le passé composé: être *ou* avoir

▰ Complete each sentence below with the correct form of the *passé composé* of the indicated verbs. (10 pts.)

1. Giselle _____ (sortir) dans la cour et elle

_____ (sortir) ses lunettes de soleil.

2. Les garçons _____ (monter) dans le train et ils

_____ (descendre) les bagages de leur tante.

3. Maman _____ (sortir) un mouchoir de son sac et elle

_____ (donner) le mouchoir au petit enfant.

4. Paulette _____ (descendre) sa raquette du placard et elle

_____ (sortir).

5. La touriste _____ (quitter) sa chambre et elle

_____ (descendre) au rez-de-chaussée.

}17} QUIZ 6

STRUCTURE

Les pronoms lui, leur

A Rewrite each sentence below, replacing the italicized words with the indirect object pronouns *lui* or *leur*. (10 pts.)

1. Sabine écrit *à Richard*.

   _____

2. Les élèves donnent le devoir *au prof*.

   _____

3. Maman ne donne pas de gâteau *aux enfants*.

   _____

4. Charles demande *aux filles* quelle heure il est.

   _____

5. Le prof ne peut pas répondre *à Christine*.

   _____

B Answer the questions as indicated, replacing the italicized words with the indirect object pronouns *lui* or *leur*. (10 pts.)

1. Qui vend de l'aspirine *aux clients*? (Le pharmacien)

   _____

2. Qu'est-ce que tu vas offrir *à Diane*? (une jolie jupe)

   _____

3. Paul et Guy, quand allez-vous parler *au prof*? (après le cours de maths)

   _____

4. Qui apprend *aux filles* à faire du ski? (Le moniteur)

   _____

5. Est-ce que Pierre montre son examen *à Papa*? (Non)

   _____

CHAPITRE

⟩18⟩ QUIZ 1

VOCABULAIRE

Mots 1

Complete the paragraph below with the appropriate words from the following list. (10 pts.)

argent	**banque**	**billet**	**compte**	**monnaie**
pièces	**poches**	**portefeuille**	**porte-monnaie**	**touche**

Mme Giscard va à la _____où elle a un

$\underset{2}{\rule{3cm}{0.4pt}}$ d'épargne. Elle y $\underset{3}{\rule{4cm}{0.4pt}}$

un chèque. On lui donne 700F en espèces. Elle met cet $\underset{4}{\rule{4cm}{0.4pt}}$

dans son sac et elle quitte la banque. Elle voit un kiosque et décide d'acheter le journal. Ça coûte

3F. Elle sort un $\underset{5}{\rule{3cm}{0.4pt}}$ de 100F de son $\underset{6}{\rule{4cm}{0.4pt}}$

mais le vendeur n'a pas de $\underset{7}{\rule{4cm}{0.4pt}}$. Alors, Mme Giscard cherche

dans son $\underset{8}{\rule{4cm}{0.4pt}}$et là elle trouve des $\underset{9}{\rule{4cm}{0.4pt}}$.

Ça fait 1F50. Puis elle cherche dans ses $\underset{10}{\rule{4cm}{0.4pt}}$. Encore 2F. Enfin

elle achète le journal et elle rentre chez elle.

CHAPITRE

}18} QUIZ 2

VOCABULAIRE

Mots 2

A Choose the correct completion for each sentence. (5 pts.)

1. Ma sœur met de l'argent de _____ . (côté, fauchée)

2. Paul _____ (rend, veut) de l'argent à son père.

3. Maman _____ (dépense, prête) du fric à Nicole.

4. Victor va _____ (emprunter, faire) des économies.

5. Tu me _____ (dois, fais) 300F.

B Match each expression in the left-hand column with its equivalent in the right-hand column. (5 pts.)

1. _____ mettre de l'argent de côté   **a.** faire des économies

2. _____ être fauché   **b.** cent balles

3. _____ de l'argent   **c.** avoir beaucoup d'argent

4. _____ cent francs   **d.** ne pas avoir d'argent

5. _____ avoir plein de fric   **e.** du fric

CHAPITRE
}18} QUIZ 3

STRUCTURE

Le pronom y

Answer each question below with a complete sentence, replacing the italicized words with *y*. (10 pts.)

1. Tu es allé *au cinéma*?

Oui, _____ .

2. Tu as attendu les copains *devant le cinéma*?

Oui, _____ .

3. Vous êtes rentrés *chez Louis* après?

Non, _____ .

4. Vous êtes allés *au café*?

Oui, _____ .

5. Tu vas monter *dans ta chambre* maintenant?

Non, _____ .

CHAPITRE
}18} QUIZ 4

STRUCTURE

Y, lui *ou* leur

A Answer as indicated, replacing the italicized words with *y*. (10 pts.)

1. Qui répond *au téléphone*? (Georges)

_____

2. Il a bien réussi *à l'examen*? (Oui, très bien)

_____

3. André et Jacques, vous jouez mal *au tennis*? (Non)

_____

4. Quand est-ce que tu as téléphoné *au restaurant*? (ce matin)

_____

5. Qui n'a pas participé *au match*? (Roland)

_____

B Answer each question below as indicated, using *y*, *lui*, or *leur* as appropriate. (10 pts.)

1. Ils ont donné un cadeau à la prof?

Oui, _____ .

2. Clément a répondu à la lettre de Sylvie?

Oui, _____ .

3. Maman et Papa, vous avez téléphoné au café?

Non, _____ .

4. Tu vas demander de l'argent à ton frère?

Oui, _____ .

5. Il obéit à ses parents?

Non, _____ .

CHAPITRE
{18} QUIZ 5

STRUCTURE

Le pronom en

Answer each question below as indicated, replacing the italicized words with *en*. (10 pts.)

1. Elles ont fait *des achats* ce matin?

   Oui, _____ .

2. Vous allez commander *de l'eau minérale*, mes amis?

   Oui, _____ .

3. On a besoin *d'argent*?

   Non, _____ .

4. Il fait *de la planche à voile*?

   Oui, _____ .

5. Vous voulez *du jambon*, Madame?

   Non, _____ .

CHAPITRE

}18} QUIZ 6

STRUCTURE

D'autres emplois du pronom **en**

■ Answer each question below as indicated, using *en* appropriately. (10 pts.)

1. Danielle a toujours beaucoup d'argent? (Oui)

_____

2. Combien de copains as-tu? (sept)

_____

3. Tes amis et toi, vous parlez souvent de la santé? (Non, jamais)

_____

4. La prof donne des devoirs? (Oui, trop)

_____

5. Il y a combien d'élèves dans ton cours de maths? (quinze)

_____

CHAPITRE
}18} QUIZ 7

STRUCTURE

Les verbes recevoir *et* devoir

■ Complete each sentence below with the appropriate form of *recevoir* or *devoir*. (10 pts.)

1. Tu _____ des cadeaux d'anniversaire?

2. Nous _____ aller à la banque aujourd'hui.

3. Je _____ trois devoirs au prof de biologie.

4. Adam a _____ une pomme d'Ève.

5. Christine écrit une lettre et son amie Martine la _____ .

6. Tu vas _____ une voiture pour ton anniversaire?

7. On ne _____ pas parler en classe.

8. Tu me _____ cinquante francs.

9. Les filles ne sont pas ici. Elles ont _____ aller à la pharmacie.

10. Mes frères _____ de l'argent de poche.

ANSWER KEY

} 1 }

VOCABULAIRE

QUIZ 1: *Mots 1*

A (Answers will include four of the following: *grand, blond, intelligent, français, content.*

B 1. D'où, de, française
2. Comment, amusante, aussi

QUIZ 2: *Mots 2*

A 1. timide
2. aimable (sympathique)
3. petit
4. sympathique
5. blond

B 1. lycée
2. frère
3. amie
4. ami, populaire

STRUCTURE

QUIZ 3: *Les articles indéfinis et définis au singulier*

A 1. une
2. un, une
3. une
4. un

B 1. le
2. l'
3. la
4. Le
5. le

QUIZ 4: *L'accord des adjectifs au singulier*

A 1. français
2. impatiente
3. brune
4. grand
5. aimable
6. confiante
7. antipathique

B 1. amusante
2. sincère (amusant)
3. blonde

QUIZ 5: *Le verbe être au singulier*

A 1. suis
2. est
3. est
4. est
5. est
6. est
7. es
8. suis

B (Adjectives will vary. Accept any appropriate and correctly formed adjectives.)
1. est
2. est
3. est
4. suis
5. es
6. est

QUIZ 6: *La négation*

A 1. ... Papa (il) n'est pas en France.
2. ... je ne suis pas célèbre.
3. ... M. Nogaret (il) n'est pas américain.
4. ... l'école (elle) n'est pas française.
5. ... tu n'es pas grande.
6. ... le devoir (il) n'est pas amusant.

B 1. Sylvie (elle) n'est pas grande (brune).
2. Le garçon (il) n'est pas content.
3. La fille (elle) n'est pas patiente.
4. Le garçon (il) n'est pas intelligent.

} 2 }

VOCABULAIRE

QUIZ 1: *Mots 1*

A 1. homme
2. prof(esseur)
3. salle (de classe)
4. cours

B 1. vraiment
2. mais
3. d'accord
4. copine
5. femme
6. même

QUIZ 2: *Mots 2*

 A Answers may vary but are likely to include the following:

les sciences
1. la biologie
2. la chimie
3. la physique

les maths
4. l'algèbre
5. la géométrie
6. la trigonométrie

les langues
7. l'anglais
8. l'espagnol
9. le français (le latin, l'allemand, le russe, le japonais)

Answers will vary but are likely to include three of the following:

10. l'art, la musique, la géographie
11. la littérature, l'histoire
12. la gymnastique, l'informatique

 B 1. libre
2. sympa
3. dimanche
4. moche
5. matière
6. même

STRUCTURE

QUIZ 3: *Le pluriel: Articles et noms*

 A 1. L'
2. les
3. la
4. Les
5. l'
6. le
7. Les

B 1. les cahiers
2. les chaises
3. l'école
4. les agendas
5. le stylo
6. les cours
7. l'amie
8. les calculatrices

QUIZ 4: *Le verbe* être *au pluriel*

 A 1. sont
2. sommes
3. sont
4. suis
5. sont

6. est
7. est
8. est
9. êtes
10. es

 B 1. elles
2. ils
3. ils
4. ils
5. nous

QUIZ 5: **Vous** *et* **tu**

 1. Tu es occupée?
2. Vous êtes occupée?
3. Vous êtes occupés?
4. Tu es occupé?
5. Tu es occupée?

QUIZ 6: *L'accord des adjectifs au pluriel*

 A 1. Le garçon (il) est énergique.
2. Les garçons (ils) sont amusants.
3. La fille (elle) est timide.
4. Les filles (elles) sont intelligentes.
5. La fille et le garçon (ils) sont contents.

 B 1. américain
2. brun(e)s
3. occupée
4. facile
5. timide

QUIZ 7: *L'heure*

 A 1. (Le cours de français est) à huit heures et demie.
2. (Le cours de géométrie est) à neuf heures et quart.
3. (Le cours de biologie est) à dix heures.
4. (Le cours de musique est) à onze heures moins le quart.
5. (Le cours de littérature est) à huit heures moins le quart.

B 1. Il est onze heures du matin.
2. Il est midi.
3. Il est neuf heures vingt du soir.
4. Il est trois heures moins vingt de l'après-midi.
5. Il est cinq heures et demie du matin.

CHAPITRE

} 3 }

VOCABULAIRE

QUIZ 1: *Mots 1*

 1. 3
2. 1
3. 6
4. 5
5. 4
6. 2

B **1.** rue
2. maison
3. école
4. écoute
5. parle
6. examen
7. questions
8. quitte
9. étudie

QUIZ 2: *Mots 2*

A **1.** parler
2. chanter
3. danser
4. écouter
5. donner
6. rigoler

B **1.** à l'école
2. à la maison
3. à la maison
4. à la maison
5. à l'école (à la maison)
6. au magasin
7. à l'école
8. au magasin
9. à l'école

STRUCTURE

QUIZ 3: *Le pronom* on

 1. On parle au téléphone.
2. On travaille à mi-temps. (à huit heures)
3. On regarde la télé.
4. On danse à la fête.
5. On est aimable. (On est à la fête.)

B **1.** On ne parle pas au téléphone.
2. On ne travaille pas à mi-temps. (On ne travaille pas à huit heures.)
3. On ne regarde pas la télé.
4. On ne danse pas à la fête.
5. On n'est pas aimable. (On n'est pas à la fête.)

QUIZ 4: *Des verbes reguliers en -er au présent*

 1. parles
2. aimez
3. donne
4. rigolons
5. étudie
6. adorent
7. travaillent
8. déteste
9. arrive
10. invite

QUIZ 5: *L'article indéfini au pluriel; La négation des articles indéfinis*

 1. des copains
2. des vidéos
3. des fêtes
4. des cassettes
5. des questions

 1. ne regarde pas de magazines
2. n'invite pas d'amis
3. ne donne pas de devoirs
4. n'écoutez pas de disques
5. ne passe pas d'examens

QUIZ 6: *Le verbe + infinitif*

 1. aime chanter / n'aime pas danser.
2. aiment rigoler / n'aiment pas étudier
3. aime gagner de l'argent / n'aime pas travailler
4. aimes étudier / n'aimes pas passer d'examens
5. aimons parler au téléphone / n'aimons pas parler en classe

CHAPITRE

} 4 }

VOCABULAIRE

QUIZ 1: *Mots 1*

 1. c
2. d
3. a
4. e
5. b

 1. ans
2. juillet
3. mois
4. date
5. janvier

QUIZ 2: *Mots 2*

 A 1. la chambre à coucher
2. la cuisine
3. la salle à manger
4. les toilettes
5. la salle de bains
6. la salle de séjour
7. le garage
8. le jardin

 B 1. appartement
2. immeuble
3. métro
4. étage
5. entrée
6. rez-de-chaussée
7. cour

STRUCTURE

QUIZ 3: *Le verbe* avoir *au présent*

 1. a
2. ont
3. avez
4. ai
5. a
6. avons
7. a
8. a
9. as
10. ont

QUIZ 4: *Les adjectifs possessifs*

 1. mes
2. sa
3. ta
4. son (ses)
5. ton (ta)
6. mes
7. sa
8. mon
9. tes
10. son

QUIZ 5: *Adjectifs qui précèdent le nom*

 A 1. grand appartement
2. petite chambre
3. grande cuisine
4. jeune chien
5. nouvelles voitures

B 1. vieille
2. grandes
3. beau (vieux, nouveau)
4. vieux
5. bel

CHAPITRE

5

VOCABULAIRE

QUIZ 1: *Mots 1*

 A 1. un croque-monsieur
2. une salade
3. une soupe à l'oignon
4. des frites
5. une glace au chocolat
6. une saucisse de Francfort
7. une omelette (nature)

 B 1. café
2. trouve
3. terrasse
4. carte
5. commande
6. soif

QUIZ 2: *Mots 2*

 A 1. tasse
2. fourchette
3. verre
4. droite
5. serveuse
6. seul

 B 1. cinquante-huit. quatre-vingt-dix-sept. trente-deux. quarante-et-un
2. soixante et un. quatre-vingts. soixante-seize. onze

STRUCTURE

QUIZ 3: *Le verbe* aller *au présent*

 A 1. allez
2. vais
3. allons
4. va
5. va
6. vas
7. vont
8. va

B (Answers will vary. The following are sample answers.)

1. Je vais très bien.
2. Je vais à mon cours de biologie.
3. Nous allons au restaurant (Nous y allons) le samedi.
4. Il/Elle (Mon copain/Ma copine) va à l'école avec des amis.

QUIZ 4: *Les contractions avec* à *et de*

A 1. au jardin
2. au café
3. aux magasins
4. à l'école
5. à la fête

B 1. du prof
2. de Marc
3. des copains
4. de l'élève
5. de la fille

C 1. au
2. de
3. à
4. du
5. aux

QUIZ 5: *Le futur proche*

1. va manger
2. allons passer
3. vas avoir
4. vont regarder
5. allez aller

QUIZ 6: *Les adjectifs possessifs* notre, votre, leur

A 1. leur
2. votre
3. nos
4. leurs
5. votre (notre)

B 1. leur
2. notre
3. leurs
4. vos
5. nos

CHAPITRE

} 6 }

VOCABULAIRE

QUIZ 1: *Mots 1*

A 1. boulangerie (-pâtisserie)
2. charcuterie
3. poissonnerie
4. crémerie
5. boucherie

B 1. du jambon
2. des croissants
3. du gâteau

4. du pâté
5. du saucisson

QUIZ 2: *Mots 2*

A 1. pot
2. bouteille
3. boîte
4. paquet
5. douzaine

B 1. marchand
2. légumes
3. terre
4. haricots
5. kilo

STRUCTURE

QUIZ 3: *Le partitif et l'article défini*

1. le, du
2. les, des
3. des, les
4. de la, la
5. l', de l'

QUIZ 4: *Le partitif à la forme négative*

1. Des
2. de
3. du
4. du
5. du
6. de
7. des
8. des
9. de la
10. de

QUIZ 5: *Le verbe* faire *au présent*

1. fait
2. fais
3. font
4. faisons
5. fais
6. fait
7. faites
8. fait
9. font
10. faire

QUIZ 6: *Les verbes* vouloir *et* pouvoir

A 1. peut
2. peuvent
3. pouvons
4. peux
5. peux

B 1. veut regarder la télé après le dîner
2. veux manger un steak frites
3. veux acheter des pommes aujourd'hui
4. voulez donner une fête
5. veulent écouter des cassettes

CHAPITRE
 } **7** }

VOCABULAIRE

QUIZ 1: *Mots 1*

 1. voyage
2. aéroport
3. avion
4. comptoir
5. billet
6. enregistrer
7. choisir
8. côté
9. non fumeurs
10. carte

QUIZ 2: *Mots 2*

 1. b; carte de débarquement
2. c; hôtesse de l'air
3. e; récupère
4. a; douane
5. d; taxi

STRUCTURE

QUIZ 3: *Les verbes en* -ir *au présent*

 1. obéit
2. choisissent
3. punit
4. atterrir
5. choisissons
6. finis
7. remplissent
8. choisis
9. finissez
10. réussir

QUIZ 4: *Les adjectifs* quel *et* tout

 A 1. Quel livre?
2. Quel cours?
3. Quelle table?
4. Quels fromages?
5. Quelles copines?

 B 1. Tous
2. Toute

3. Toutes
4. Tout
5. Tous

QUIZ 5: *Les noms et les adjectifs en* -al

 1. journaux
2. animaux
3. internationaux
4. spéciaux
5. originales

QUIZ 6: *Les verbes* sortir, partir, dormir *et* servir *au présent*

 1. sortent
2. dort
3. pars
4. sert
5. pars
6. servons
7. sortir
8. dorment
9. sort
10. dormir

CHAPITRE
 } **8** }

VOCABULAIRE

QUIZ 1: *Mots 1*

 A 1. les bagages
2. les voyageurs
3. l'annonce
4. les billets
5. les journaux

 B 1. la gare
2. la queue
3. aller-retour
4. quai
5. compostent

QUIZ 2: *Mots 2*

 A 1. en retard
2. descendre
3. la plupart
4. debout
5. devant

B 1. prochain
2. voiture-lit
3. voiture

4. quelques
5. depuis
   patience

STRUCTURE

QUIZ 3: *Les verbes en -re au présent*

1. perd
2. répondent
3. attendre
4. descendons
5. vend
6. entendez
7. attendent
8. perds
9. descend
10. réponds

QUIZ 4: *Les adjectifs démonstratifs*

A
1. Ces
2. Cette
3. ce
4. Ces
5. Cet

B
1. cette
2. cette
3. ces
4. ce
5. cet

QUIZ 5: *Le verbe mettre au présent*

1. mettre
2. mets
3. mettent
4. met
5. mettons
6. mets
7. met
8. mets
9. mettons
10. mettre

CHAPITRE

} 9 }

VOCABULAIRE

QUIZ 1: *Mots 1*

1. mer
2. nager
3. moniteur
4. maillot
5. piscine
6. été

7. sable
8. prendre
9. lunettes
10. attraper

QUIZ 2: *Mots 2*

A
1. Il pleut.
2. Il fait du vent.
3. Il fait beau (du soleil).
4. Il fait chaud.
5. Il fait froid.

B
1. partie
2. jupette
3. chaussures
4. raquette
5. court

STRUCTURE

QUIZ 3: *Les verbes* prendre, apprendre *et* comprendre *au présent*

1. apprendre
2. prenons
3. prend
4. prends
5. comprenez
6. comprenons
7. apprenons (comprenons)
8. apprendre
9. comprends
10. prendre

QUIZ 4: *Les pronoms accentués*

1. moi
2. toi
3. elle
4. Eux
5. nous
6. lui
7. elles
8. vous
9. vous
10. Moi

QUIZ 5: *Les adjectifs avec une double consonne*

1. aérienne
2. parisien
3. européenne
4. bonne
5. canadienne
6. gentilles
7. italiennes
8. bon
9. italienne
10. bons

CHAPITRE }10{

VOCABULAIRE

QUIZ 1: *Mots 1*

A
1. une chemise
2. une jupe
3. une robe
4. des chaussettes (une paire de chaussettes)
5. un pantalon

B
1. boutique
2. tailleurs
3. chers
4. vendeuse
5. rayon

QUIZ 2: *Mots 2*

A
1. étroit (serré)
2. haut
3. au-dessus
4. long
5. blanc

B
1. cadeau
2. couleurs
3. pointure
4. taille
5. heureuse (contente)

STRUCTURE

QUIZ 3: *Les verbes* croire *et* voir *au présent*

A
1. croit
2. croient
3. croyons
4. crois
5. crois

B
1. voir
2. vois
3. voient
4. voit
5. voyez

QUIZ 4: *D'autres adjectifs irréguliers*

A
1. sérieux
2. sportive
3. bas
4. actives
5. heureuse

B
1. active
2. favori

3. longues
4. heureux
5. chère

QUIZ 5: *Le comparatif des adjectifs*

1. Annie est plus intelligente que Claude.
2. Ses tartes sont aussi bonnes que ses gâteaux.
3. M. Noiret est moins sportif que Mme Noiret.
4. Leur maison est plus grande que ma maison.
5. Jeanne Noiret est moins patiente que son cousin.

QUIZ 6: *Le superlatif*

1. La chemise rouge est la moins chère de toutes les chemises.
2. Carole est la plus active de toutes mes copines.
3. Ces robes sont les moins jolies de toute la boutique.
4. Ce pantalon est le plus large de tous mes pantalons.
5. Ces restaurants sont les meilleurs de toute la région.

CHAPITRE }11{

VOCABULAIRE

QUIZ 1: *Mots 1*

A
1. se réveiller
2. se lever
3. se laver
4. s'habiller
5. se maquiller

B
1. glace
2. savon
3. cheveux
4. petit déjeuner
5. dents

QUIZ 2: *Mots 2*

1. faire de l'aérobic
2. grossir
3. maigrir
4. s'amuser
5. pratiquer un sport
6. survêtement
7. se promener
8. se mettre
9. gymnase
10. rester

STRUCTURE

QUIZ 3: *Les verbes réfléchis*

1. se peigne
2. nous levons
3. se réveillent
4. se rase
5. me lave
6. t'habilles
7. se maquille
8. vous promenez
9. se brosser
10. me lave

QUIZ 4: *Verbes avec changements d'orthographe*

1. m'appelle
2. s'appelle
3. nous levons
4. nous promenons
5. voyageons
6. nageons
7. commence
8. nage
9. achète
10. mangeons

QUIZ 5: *Le pronom interrogatif* qui

1. Qui est à la porte?
2. Tu vois qui au parc? (Qui vois-tu au parc?)
3. Avec qui parlez-vous? (Vous parlez avec qui?)
4. Qui n'aime pas l'école?
5. Vous invitez qui? (Qui invitez-vous?)
6. Elles vont chez qui? (Chez qui vont-elles?)
7. La carte est pour qui? (Pour qui est la carte?)
8. Qui achète du savon?
9. Qui met le chemisier blanc?
10. Vous attendez qui? (Qui attendez-vous?)

CHAPITRE

VOCABULAIRE

QUIZ 1: *Mots 1*

1. accélérer
2. sport
3. break
4. plein
5. réservoir
6. pneu
7. conducteur
8. roule
9. clé
10. freine

QUIZ 2: *Mots 2*

 A
1. de conduire
2. de conduite
3. de vitesse
4. à péage
5. de sécurité

 B
1. auto-école
2. garer
3. traverse
4. croisement
5. contravention

STRUCTURE

QUIZ 3: *Les verbes* conduire, lire, écrire *et* dire *au présent*

1. disons
2. écrivons
3. lire
4. conduis
5. dit
6. conduisent
7. dites
8. lit
9. écrivent
10. lisez

QUIZ 4: *Les mots négatifs*

1. Je ne vois personne.
2. Mon père (Il) ne danse jamais.
3. Elle ne lit rien.
4. (Non,) je ne mange rien. (Nous ne mangeons rien.)
5. (Non,) ma mère ne va jamais au marché.
6. Je n'écris à personne.
7. (Non,) les garçons ne se lavent jamais.
8. Georges ne dit rien.
9. (Non,) mon père ne fait jamais de jogging.
10. Michel ne parle à personne.

QUIZ 5: *Les questions et les mots interrogatifs*

 A
1. Vous allez où?
2. Vous partez à quelle heure?
3. Tu y vas avec qui?
4. On y va comment?
5. Paul est d'où?

 B
1. Pourquoi étudiez-vous (étudies-tu) la musique?
2. Quand écoutez-vous (écoutes-tu) de la musique?
3. Qui aimez-vous (aimes-tu) écouter?
4. Comment vos (tes) parents trouvent-ils la musique?
5. À qui la musique parle-t-elle?

VOCABULAIRE

QUIZ 1: *Mots 1*

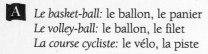

1. terrain
2. équipe
3. ballon
4. marquer
5. gardien de but
6. arbitre
7. spectateurs
8. gradins
9. comble
10. contre

QUIZ 2: *Mots 2*

A *Le basket-ball:* le ballon, le panier
Le volley-ball: le ballon, le filet
La course cycliste: le vélo, la piste

B
1. jouer
2. automne
3. gagner
4. renvoyer
5. dessus

STRUCTURE

QUIZ 3: *Le passé composé des verbes réguliers*

A
1. on a joué au tennis
2. il a fini les leçons de basket
3. j'ai dîné (nous avons dîné) au café
4. Michel a répondu aux lettres
5. j'ai dormi chez ma tante

B
1. vous avez quitté la maison à 7h
2. ils ont fini leur petit déjeuner avant moi
3. je n'ai pas dormi tard
4. nous avons attendu les copains devant l'école
5. tu n'as pas écouté le prof

QUIZ 4: Qu'est-ce que

A
1. Qu'est-ce que tu écoutes?
2. Qu'est-ce qu'Émilie a lancé?
3. Qu'est-ce que le prof a donné?
4. Qu'est-ce que tu n'aimes pas?
5. Qu'est-ce qu'il attend?

B
1. Que faites-vous à l'école?
2. Que mangent-ils au déjeuner?
3. Que lisez-vous?
4. Qu'aimez-vous regarder à la télé?
5. Que fait-il?

VOCABULAIRE

QUIZ 1: *Mots 1*

A
1. gants
2. bâtons
3. sommet
4. commence
5. montagne

B 3, 2, 4, 5, 1

QUIZ 2: *Mots 2*

A
1. chaud
2. le coureur
3. la raquette
4. le terrain
5. la bosse

B
1. froid
2. couvert
3. température
4. glace
5. accident

STRUCTURE

QUIZ 3: *Le passé composé des verbes irréguliers*

A
1. ai déjà eu des crevettes
2. ont déjà mis le couvert
3. a déjà fait une omelette
4. avons déjà vu le film américain
5. as déjà lu *Le Comte de Monte-Cristo*

B
1. Il a appris à faire du ski nautique
2. Elle a écrit de longues lettres à son ami
3. Tu as été moniteur dans une station balnéaire.
4. Elle a compris les instructions du moniteur
5. Il n'a pas voulu nager

QUIZ 4: Les pronoms qui et quoi

A
1. Tu écris à qui?
2. Ta tante (elle) danse avec qui?
3. Tu fais du ski avec quoi?
4. Ta grand-mère (elle) habite chez qui?
5. Pour faire une omelette tu as besoin de quoi?

B
1. De quoi avons-nous (ai-je) besoin?
2. Avec qui prend-il des leçons?
3. Sur quoi mettez-vous (mettons-nous) vos (nos) skis?
4. À qui donnez-vous l'argent?
5. De quoi les moniteurs parlent-ils?

CHAPITRE

{ 15 }

VOCABULAIRE

QUIZ 1: *Mots 1*

 A
1. yeux
2. oreilles
3. bouche
4. gorge
5. nez

 B
1. tête
2. mouchoir
3. a
4. ventre
5. santé

QUIZ 2: *Mots 2*

 A
1. la pharmacienne
2. le médecin
3. la malade
4. le médecin
5. le malade

 B
1. comprimé
2. pharmacie
3. tousse
4. respire
5. Pauvre

STRUCTURE

QUIZ 3: *Les pronoms* me, te nous, vous

 A
1. me
2. vous
3. vous
4. nous
5. te

B
1. je te quitte maintenant
2. tu peux me lancer la balle
3. je ne vais pas te renvoyer la balle
4. mon ami (il) m'attend chez lui
5. tu ne peux pas (vous ne pouvez pas) me (nous) regarder

QUIZ 4: *Les verbes comme* ouvrir *au présent et au passé composé*

 A
1. ouvre
2. offrons
3. ouvrir
4. souffres
5. découvrent

 B
1. a découvert
2. avez souffert
3. a ouvert
4. ont offert
5. ai couvert

QUIZ 5: *L'impératif*

 A
1. Regarde ton livre!
2. Écrivez la phrase!
3. Ne parlez pas!
4. Lis (lisez) la page 21!
5. Écoutez!

 B
1. Allons à la plage!
2. Jouons au basket!
3. Ne faisons pas de devoirs!
4. Voyons un film français!
5. Mangeons une pizza!

CHAPITRE

{ 16 }

VOCABULAIRE

QUIZ 1: *Mots 1*

 A
1. un film d'horreur
2. une comédie
3. un film policier
4. un film d'amour
5. un film de science-fiction

B
1. pièce
2. billet
3. guichet
4. rideau
5. scène

QUIZ 2: *Mots 2*

1. au musée
2. un sculpteur
3. une peintre
4. nom
5. œuvre

STRUCTURE

QUIZ 3: *Les verbes* connaître *et savoir au présent*

1. sait
2. savons
3. Connaissez
4. savent
5. connais
6. savoir
7. connaissent
8. connaître
9. savez
10. sais

QUIZ 4: *Les pronoms* le, la, les

 A
1. je ne l'aime pas
2. il les mange
3. je la prends
4. nous le connaissons
5. ils ne vont pas l'acheter

B
1. la
2. la
3. les
4. la
5. l'

QUIZ 5: *Les prépositions avec les noms géographiques*

1. à, en
2. à, au
3. à, en
4. à, au
5. à, aux

QUIZ 6: *Les verbes irréguliers* venir, revenir *et* devenir *au présent*

1. vient
2. devient
3. venir
4. reviens
5. Venez

QUIZ 7: *La préposition de avec les noms géographiques*

1. Elle vient des États-Unis.
2. Il vient du Canada.
3. Tu viens (Vous venez) de France.
4. Elle vient d'Allemagne.
5. Ils viennent d'Angleterre.

VOCABULAIRE

QUIZ 1: *Mots 1*

1. le hall
2. à la réception
3. son passeport
4. lit
5. est montée
6. la porte
7. donne
8. bains
9. ascenseur
10. de l'hôtel

QUIZ 2: *Mots 2*

 A 2, 5, 4, 1, 3

B
1. espèces
2. cintre
3. savon
4. oreiller
5. serviette

STRUCTURE

QUIZ 3: *Le passé composé avec* être

 A
1. sommes montés en haut de la tour Eiffel
2. suis sorti(e) avec Nicole
3. est descendu du troisième étage
4. sont allées au Louvre
5. est rentrée tard

B
1. La famille est allée à la plage
2. Oncle Georges (Il) est venu chez nous
3. Les garçons (Ils) sont descendus du train à Avignon
4. Je suis arrivé(e) chez Louise le 14 juillet
5. René et toi, vous êtes parti(e)s ensemble

QUIZ 4: *D'autres verbes avec* être *au passé composé*

1. est né
2. est devenu
3. sont tombés
4. est resté
5. est mort

QUIZ 5: *Le passé composé:* être *ou* avoir

1. est sortie, a sorti
2. sont montés, ont descendu
3. a sorti, a donné
4. a descendu, est sortie
5. a quitté, est descendue

QUIZ 6: *Les pronoms* lui, leur

A 1. Sabine lui écrit.
2. Les élèves lui donnent le devoir.
3. Maman ne leur donne pas de gâteau.
4. Charles leur demande quelle heure il est.
5. Le prof ne peut pas lui répondre.

B 1. Le pharmacien leur vend de l'aspirine.
2. Je vais lui offrir une jolie jupe.
3. Nous allons lui parler après le cours de maths.
4. Le moniteur leur apprend à faire du ski.
5. Non, Pierre ne lui montre pas son examen.

CHAPITRE
}18}

VOCABULAIRE

QUIZ 1: *Mots 1*

1. banque
2. compte
3. touche
4. argent
5. billet
6. portefeuille
7. monnaie
8. porte-monnaie
9. pièces
10. poches

QUIZ 2: *Mots 2*

A 1. côté
2. rend
3. prête
4. faire
5. dois

B 1. a
2. d
3. e
4. b
5. c

STRUCTURE

QUIZ 3: *Le pronom* y

1. j'y suis allé
2. j'y ai attendu les copains
3. nous n'y sommes pas rentrés après
4. nous y sommes allés
5. je ne vais pas y monter maintenant

QUIZ 4: Y, lui *ou* leur

A 1. Georges y répond.
2. Oui, il y a tres bien réussi.
3. Non, nous n'y jouons pas mal.
4. J'y ai téléphoné ce matin.
5. Roland n'y a pas participé.

B 1. ils lui ont donné un cadeau
2. il y a répondu
3. nous n'y avons pas téléphoné
4. je vais lui demander de l'argent
5. il ne leur obéit pas

QUIZ 5: *Le pronom* en

1. elles en ont fait ce matin
2. nous allons en commander
3. on n'en a pas besoin
4. il en fait
5. je n'en veux pas

QUIZ 6: *D'autres emplois du pronom* en

1. Oui, elle en a toujours beaucoup.
2. J'en ai sept.
3. Non, nous n'en parlons jamais.
4. Oui, elle en donne trop.
5. Il y en a quinze.

QUIZ 7: *Les verbes* recevoir *et* devoir

1. reçois
2. devons
3. dois
4. reçu
5. reçoit
6. recevoir
7. doit
8. dois
9. dû
10. reçoivent